Canto de sirenas
El derecho de aguas chileno como modelo para reformas internacionales

Carl J. Bauer

RFF PRESS
RESOURCES FOR THE FUTURE

bakeaz

bakeari buruzko dokumentazio eta ikerkuntzarako zentroa
centro de documentación y estudios para la paz

FUNDACION
Nueva Cultura del Agua

Colección *Nueva cultura del agua*

La **Fundación Nueva Cultura del Agua** (http://www.unizar.es/fnca) ha nacido fruto de los Congresos Ibéricos sobre Planificación y Gestión de Aguas, celebrados con el apoyo de setenta universidades españolas y portuguesas. Desea promover un nuevo enfoque de gestión de aguas coherente con el paradigma del desarrollo sostenible. Sus objetivos centrales son desarrollar líneas de investigación interdisciplinar, fomentar su publicación y difusión científica, y promover foros de debate científico-técnico. Asimismo, intentará propiciar la educación ciudadana, porque sólo a partir de una profunda renovación cultural de nuestra sociedad, y una nueva cultura del agua, podrán crearse las condiciones sociopolíticas para los cambios que los tiempos exigen.

Bakeaz es una organización no gubernamental fundada en 1992 y dedicada a la investigación. Creada por personas vinculadas a la universidad y al ámbito del pacifismo, los derechos humanos y el medio ambiente, intenta proporcionar criterios para la reflexión y la acción cívica sobre cuestiones relativas a la militarización de las relaciones internacionales, las políticas de seguridad, la producción y el comercio de armas, la relación teórica entre economía y ecología, las políticas hidrológicas y de gestión del agua, los procesos de Agenda 21 Local, las políticas de cooperación o la educación para la paz y los derechos humanos. Para el desarrollo de su actividad cuenta con una biblioteca especializada; realiza estudios e investigaciones con el concurso de una amplia red de expertos; publica en diversas colecciones de libros y boletines teóricos sus propias investigaciones o las de organizaciones internacionales como el Worldwatch Institute, ICLEI o UNESCO; organiza cursos, seminarios y ciclos de conferencias; asesora a organizaciones, instituciones y medios de comunicación; publica artículos en prensa y revistas teóricas; y participa en seminarios y congresos.

Original English-language version titled *Siren Song: Chilean Water Law as a Model for International Reform,* by Carl J. Bauer. Copyright © 2004 by Resources for the Future, 1616 P Street NW, Washington, DC, 20036, USA.

Spanish-language version licensed by Resources for the Future.

Versión original en inglés titulada *Siren Song: Chilean Water Law as a Model for International Reform,* de Carl J. Bauer. Copyright © 2004 de Resources for the Future, 1616 P Street NW, Washington, DC, 20036, Estados Unidos.

Versión en español autorizada por Resources for the Future.

Traducción del inglés: Juan Pablo Orrego.

© Bakeaz, 2004 para esta edición
Santa María, 1-1º • 48005 Bilbao • Tel.: 94 4790070 • Fax: 94 4790071
Correo electrónico: bakeaz@bakeaz.org • http://www.bakeaz.org

ISBN: 84-88949-68-5
Depósito legal: BI-2654-04

Índice

Presentación

É ste es mi segundo libro sobre el derecho de aguas y las políticas hidrológicas en Chile. Es el resultado de mis investigaciones y de mi experiencia de trabajo desde mediados de los años noventa hasta el comienzo de 2004, particularmente en Chile y en los Estados Unidos, pero también en varios otros países latinoamericanos y en España.

Canto de sirenas se diferencia de mi libro anterior, *Contra la corriente,* en que cubre un período más largo y adopta una perspectiva más comparada e internacional. *Contra la corriente* fue un estudio de caso en profundidad basado en dos años y medio de trabajo de campo en Chile (durante dos períodos desde 1991 hasta 1995). *Canto de sirenas* construye sobre esos cimientos haciendo un seguimiento de los temas relacionados con los derechos de agua en Chile a partir de 1995 y situando la experiencia chilena más plenamente en el contexto internacional. Este libro, en otras palabras, ofrece una mayor diversidad de puntos de vista y argumentos y está dirigido a un público más amplio de lectores.

Tengo varios objetivos principales en este libro. En primer lugar, pretendo presentar una actualización de la experiencia chilena con lo que ha llegado a ser conocido internacionalmente como el modelo chileno de gestión de los recursos hídricos. Ésta es una revisión histórica en el sentido de que cubre varias décadas recientes y muestra la evolución a través del tiempo. En segundo lugar, quiero destacar la importancia del modelo chileno para los debates internacionales sobre políticas hidrológicas. Estos debates se han ido haciendo más urgentes en los últimos años a medida que la gente se preocupa más por una «crisis global del agua», una crisis que parece condenada a empeorar salvo que hagamos cambios sustanciales en cómo usamos y gestionamos las aguas del mundo. En ese contexto, el modelo chileno ha sido como un canto de sirenas para reformistas en otros países, tan atractivo en su pureza de libre mercado que muchos han estado sordos a los riesgos y problemas que se esconden bajo la superficie.

La estructura de este libro refleja mi propia trayectoria personal y profesional durante los últimos diez a quince años. Desde comienzos de la década de los noventa he trabajado intensamente en Chile, mientras he ido ganando experiencia también en otros países y lugares del mundo. Como resultado de esto, he querido contar la historia de la política hidrológica chilena tanto desde dentro, para los de fuera, como desde fuera, para los chilenos. Una parte de la historia surge de mis continuados esfuerzos por comprender las complejidades de la política chilena, de su cultura y geografía, con la mayor riqueza histórica y el mayor detalle de lo que he sido capaz. Comencé estos esfuerzos en serio en 1991 y he continuado hasta hoy. Por otro lado, mi análisis de los temas relativos al agua de Chile se ha visto cada vez más influido por mi creciente conocimiento de los problemas de agua que afrontan otros países y regiones. Como cualquiera que ha hecho trabajo comparado comprenderá, los problemas en otros lugares son similares de muchas maneras, pero están conformados por circunstancias políticas, económicas, geográficas e históricas diferentes.

En este libro, por lo tanto, he querido contrarrestar la superficialidad de la mayoría de las descripciones foráneas sobre la legislación de aguas y política hidrológica chilena haciendo justicia a las raíces políticas más profundas, y enredadas, que subyacen bajo lo que parecen ser discusiones meramente tecnocráticas. Al mismo tiempo, he querido mostrar a los chilenos que están inmersos en luchas y desafíos locales cómo se ven esos temas

desde la distancia, cómo los ve un observador externo familiarizado con los temas relativos al agua en otros lugares. Desde
ambas perspectivas, la interna y la externa, espero que los lectores encuentren esta historia útil e iluminadora y que algo de su
drama emane del relato.

Mi tercer propósito es más general: abogar por un enfoque
más cualitativo e interdisciplinario del derecho y la economía.
Para hacer esto no ofrezco un elaborado argumento teórico. En
vez de eso, trato de usar el agua como un vehículo para destacar
las limitaciones de las disciplinas académicas tradicionales cuando son aplicadas a un mundo más amplio. Dado que el objetivo
principal, desde mi punto de vista, es tratar de comprender el
mundo y la condición humana en la forma lo más plena posible,
debemos mantener presente en nuestras mentes que las disciplinas individuales son solamente medios para este fin.

Agradecimientos

Quiero dar las gracias a Juan Pablo Orrego en Chile por su muy cuidadosa traducción de este libro del inglés al español. Mi satisfacción es doble porque él tradujo también mi primer libro *(Contra la corriente),* con el mismo talento y entrega, y en el caso de *Canto de sirenas* me parece que lo trabajó con aún más dedicación si eso es posible. La traducción contó con el apoyo financiero de la William and Flora Hewlett Foundation, como parte del proyecto citado abajo. Yo revisé la traducción y soy responsable de cualquier error que pueda haber.

En España he tenido la gran suerte de contar con el interés y apoyo de la Fundación Nueva Cultura del Agua, de Federico Aguilera, de la Universidad de La Laguna (Tenerife), y de Josu Ugarte y Blanca Pérez, de Bakeaz. Sin todos ellos la edición de este libro en español no habría sido posible. Muchas gracias a Federico por haber revisado el texto para facilitar su viaje lingüístico de Chile y Estados Unidos a España. He admirado el trabajo de estas personas y organizaciones durante muchos años, además del de otros amigos y colegas en el ámbito español del agua, y me alegro muchísimo de poder sumarme al equipo y aportar algo mío al debate. Ojalá este libro sea sólo el primero de otros proyectos de colaboración a favor de los cambios necesarios en nuestra convivencia con el agua, y con nosotros mismos, tanto en la península ibérica como en las Américas.

También estoy agradecido a Resources for the Future por su apoyo a mi trabajo desde 1999, tanto en Washington, D.C., como en el extranjero. La flexibilidad y el estímulo de Terry Davies, Ted Hand, Ray Kopp, Paul Portney y Mike Taylor (en orden alfabético) han sido esenciales para poder sacar adelante la investigación que llevó a este libro, a publicaciones relacionadas y a otras formas de comunicación pública. También estoy agradecido a la William and Flora Hewlett Foundation por la financiación de dos proyectos durante el período 2000-2003, en apoyo de mi investigación y de mi colaboración con universidades locales y con organizaciones no gubernamentales en Chile y en otros lugares de América Latina. Sin el apoyo de David Lorey, anterior director del Programa de Relaciones Estados Unidos-América Latina de esta misma fundación, este libro no habría sido escrito.

En Chile estoy agradecido a mis anteriores colegas de la Comisión Económica para América Latina y el Caribe de las Naciones Unidas, en Santiago, donde he sido profesor visitante y consultor ocasional a lo largo de los años; Martine Dirven, Terry Lee, Miguel Solanes, Pedro Tejo y Frank Vogelgesang siempre han sido de mucha ayuda. Escribí gran parte de este libro en Santiago en 2002 mientras era profesor visitante en el Centro de Economía Aplicada de la Universidad de Chile; quiero agradecer a Ronnie Fischer, el director del Centro, y a sus colegas Alex Galetovic, Patricio Meller y Raúl O'Ryan, su hospitalidad durante mi estancia.

También deseo mostrar mi gratitud a las muchas personas en Chile que aceptaron ser entrevistadas y que de otras maneras facilitaron mi trabajo y mi acceso a información a lo largo de los últimos trece años. A pesar de que estas personas son demasiado numerosas para nombrarlas individualmente, hay dos amigos cuya generosidad y cooperación merecen una mención especial: Alejandro Vergara Blanco, de la Universidad Católica, y Luis Catalán Torres, de la Universidad de Chile. El nombre de Vergara aparece frecuentemente en este libro, dado que es el académico más prominente en el ámbito del derecho de aguas en Chile así como un prominente abogado en el ejercicio de la profesión, y, a pesar de que nuestras visiones a menudo son diferentes, su comportamiento como colega nunca ha vacilado. Catalán me ha provisto con un servicio de recortes de prensa sobre tantos temas en Chile y por tanto tiempo que muchas veces he tenido problemas para seguirle el paso.

Durante el período 2001-2003 presenté versiones anteriores de los argumentos que expone este libro en seminarios y conferencias en Chile y en los Estados Unidos. En Santiago estos lugares incluyeron el Centro de Economía Aplicada de la Universidad de Chile; la Escuela de Derecho de la Universidad Católica (IV y V Jornadas Chilenas del Derecho de Agua); la Escuela de Derecho de la Universidad Diego Portales (VII Congreso de la Asociación Latinoamericana de Derecho y Economía); y el Instituto de Desarrollo Agropecuario del gobierno chileno. Eventos en los Estados Unidos incluyeron seminarios en Resources for the Future y en el Banco Interamericano de Desarrollo, en Washington, D.C.; y la Escuela de Derecho de la Universidad de Colorado en Boulder (XXIII Congreso de Verano de Derecho de Aguas). Quiero agradecer sus comentarios a los que participaron en estos eventos.

En RFF Press aprecio el profesional trabajo de Don Reisman, Jessica Palmer y Carol Rosen. Ken Conca (Universidad de Maryland) y Chuck Howe (Universidad de Colorado) hicieron comentarios que mejoraron significativamente el manuscrito, y la edición de Sally Atwater lo mejoró aún más. La anterior ayudante de investigación de RFF, Aracely Alicea, ayudó con referencias.

Me gustaría dedicar este libro a Brooke, mi esposa y manager, y a nuestros hijos, Hugo y Halle Mar, ambos nacidos en Chile y quienes compartieron diferentes etapas de la escritura.

Sobre el autor, Resources for the Future y RFF Press

Carl J. Bauer es investigador de Resources for the Future. Su ámbito de trabajo incluye el derecho de aguas, las políticas hidrológicas y la gestión del agua en Latinoamérica y los Estados Unidos, que analiza de forma comparada, centrándose en la economía política y los derechos de propiedad. Bauer ha realizado trabajos de investigación en el área medioambiental en la Universidad de California-Berkeley, y ha sido profesor invitado y Fulbright Scholar en las universidades de Chile y Argentina. Ha trabajado como asesor para la Organización de las Naciones Unidas, la Global Water Partnership, el Banco Mundial, el Banco Interamericano de Desarrollo y otras organizaciones en temas de derechos de agua, mercados de aguas e instrumentos económicos para la gestión de los recursos hídricos. Su anterior libro, *Against the Current: Privatization, Water Markets, and the State in Chile,* también está publicado en español, con el título *Contra la corriente. Privatización, mercados de agua y el Estado en Chile.* En la actualidad investiga sobre los impactos de la desregulación eléctrica en la gestión de las cuencas hidrográficas de Suramérica, y trata de acercar las posturas distantes de abogados, economistas y geógrafos en la regulación medioambiental.

Resources for the Future (RFF) contribuye a la mejora de las políticas mundiales relacionadas con el medio ambiente y los recursos naturales a través de la investigación independiente en ciencias sociales. Desde 1952, RFF lidera la aplicación de la economía como herramienta para desarrollar políticas más efectivas sobre el uso y conservación de los recursos naturales. Analiza cuestiones fundamentales como el control de la contaminación, las políticas energéticas, el consumo de agua, el uso del suelo, los residuos peligrosos, el cambio climático, la biodiversidad y los desafíos a los que se enfrentan los países en desarrollo en cuestiones medioambientales.

RFF Press (http://www.rffpress.org) respalda la misión de RFF mediante la publicación de libros que reflejan una amplia diversidad de puntos de vista en el estudio de los recursos naturales y el medio ambiente. Entre sus autores y editores se encuentran investigadores de RFF, investigadores del ámbito académico y político, y periodistas. Los libros de RFF están dirigidos a todos aquellos que participan en procesos de diseño de políticas públicas: investigadores, medios de comunicación, organizaciones no gubernamentales, profesionales de gobiernos y empresas, y la ciudadanía en general.

Introducción.
El modelo chileno
de gestión del agua alcanza
su mayoría de edad

El agua dulce es un recurso finito y vulnerable, esencial para sustentar la vida, el desarrollo y el medio ambiente [...]. El agua tiene un valor económico en todos sus usos, los cuales compiten entre sí, y debería ser reconocida como un bien económico.

Principios de Gestión Integrada de los Recursos Hídricos, Dublín, 1992.

El Código de Aguas chileno de libre mercado cumplió veinte años de edad en octubre del año 2001. Este aniversario fue un hito importante para los debates sobre políticas hidrológicas, tanto chilenos como internacionales, porque Chile ha llegado a ser el ejemplo líder en el mundo de un enfoque de libre mercado de las leyes de aguas y la gestión de los recursos hídricos, el caso de manual relativo al tratamiento de los derechos de agua no sólo como propiedad privada sino como una mercancía plenamente comerciable. Otros países han reconocido distintas variantes de derechos privados de las aguas, pero ninguno lo ha hecho de una manera tan incondicional y desregulada como Chile. Dado que el Código de Aguas de 1981 es un ejemplo tan paradigmático de reforma de libre mercado, algunas personas lo han alabado como un triunfo intelectual y político, mientras que otras lo han criticado como una aberración social e ideológica.

La visión predominante fuera de Chile es que el modelo chileno de gestión del agua ha sido un éxito. Ésta ha sido la percepción de muchos economistas y expertos en aguas del Banco Mundial, el Banco Interamericano de Desarrollo e instituciones relacionadas. Desde los primeros años de la década de los noventa, los defensores de esta visión han utilizado sus considerables recursos e influencia para promover una descripción simplificada del modelo chileno y de sus resultados, tanto en el resto de Latinoamérica como en el más amplio ámbito internacional del debate sobre políticas hidrológicas. A pesar de que estos defensores algunas veces reconocen deficiencias en el modelo, su tendencia general ha sido disminuir la importancia de estas deficiencias y subrayar las ventajas.

Uno de los principales objetivos de este libro es cuestionar esta descripción y presentar una perspectiva más equilibrada del modelo chileno. Los más de veinte años de la experiencia chilena constituyen un período lo suficientemente largo como para mostrar que el modelo de libre mercado de gestión del agua ha tenido debilidades tan marcadas como las fortalezas, y que las debilidades están estructuralmente conectadas a las fortalezas. En otras palabras, tanto las fortalezas como las debilidades están integradas en el marco legal e institucional chileno actual, de tal manera que han hecho de ambas algo efectivamente imposible de separar. De este modo, los mercados de aguas chilenos han funcionado bastante bien en ciertos aspectos y en determinadas condiciones, mientras que en otros contextos y para otros fines han funcionado muy pobremente. Las áreas problemáticas incluyen distintos temas críticos de la administración de las aguas, tales como equidad social, protección ambiental, gestión de cuencas hidrográficas, coordinación de usos múltiples del agua y resolución de conflictos. Estos temas están en el núcleo de los actuales debates internacionales, así como de las preocupaciones mundiales, respecto de las políticas hidrológicas y de gestión del agua.

Dado que el Código de Aguas de Chile no afrontó seriamente estos problemas en 1981, puede resultar injusto criticar el Código por su incapacidad de resolverlos posteriormente. Pero ésta no es la cuestión aquí. Lo esencial es que después de veinte años de experiencia, el actual marco legal e institucional —que está determinado por la Constitución de Chile de 1980, así como por el Código de Aguas— ha demostrado ser incapaz de abordar estos problemas imprevistos. Este marco actual, tal como veremos, se caracteriza por una combinación de elementos que se refuerzan entre ellos para mantener el *statu quo:* derechos económicos privados fuertes y definidos de forma amplia; una autoridad reguladora gubernamental severamente restringida; y un sistema judicial poderoso pero errático, mal capacitado en temas de políticas públicas y con un concepto del derecho incompleto y formalista. Todo indica que estos problemas de la administración del agua sólo pueden empeorar a medida que la demanda y la competencia por el agua continúan aumentando, ejerciendo aún más presión en el marco institucional existente.

El segundo propósito de este libro es ubicar la experiencia chilena en un contexto internacional más amplio y comparado. Dada su importancia simbólica para los debates internacionales sobre políticas hidrológicas, el reciente aniversario del Código de Aguas chileno presenta una valiosa oportunidad para mirar hacia atrás y para evaluar la experiencia chilena, así como para aprender lecciones más generales sobre la reforma de las políticas hidrológicas. En este contexto más amplio, mi meta es argumentar a favor de, y demostrar, un enfoque más cualitativo e interdisciplinario de la economía del agua. Tal enfoque hace mayor hincapié en los aspectos institucionales, legales, sociales y políticos del análisis económico, aspectos que demasiado a menudo están ausentes o son considerados sólo superficialmente en los enfoques económicos convencionales.

La organización del libro refleja estos dos objetivos principales. El capítulo I establece el marco del contexto internacional del caso chileno, revisando los debates internacionales recientes sobre la «crisis global del agua» y la creciente necesidad de reformas sustanciales de las legislaciones y políticas de aguas. Estas reformas apuntan hacia lo que se denomina una gestión más «integrada» de los recursos hídricos. Me centro particularmente en las diferentes opiniones sobre lo que significa tratar las aguas «como un bien económico», lo que ha sido uno de los principales temas abordados en los debates internacionales sobre el agua, y planteo el interrogante respecto a cuáles de las diferentes perspectivas económicas sobre gestión del agua son realmente compatibles con un enfoque integral. Ésta es de alguna manera la pregunta fundamental del libro, que la experiencia chilena puede ayudar a contestar de forma única. El capítulo I también da algunos ejemplos del significado del modelo chileno para otros países que se están planteando llevar a cabo reformas de políticas de aguas.

El grueso del libro revisa los aspectos esenciales de la experiencia chilena. La discusión se basa en años de investigación en Chile, incluyendo numerosas entrevistas; análisis de documentos legales, gubernamentales y de política pública; y publicaciones académicas, tanto chilenas como extranjeras.

El capítulo II analiza las características y el contexto histórico del Código de Aguas de 1981: primero, resumiendo los aspectos clave, y luego, retrocediendo para describir la historia legislativa y política. Esta revisión se centra en el período desde la década de los sesenta, y, en particular, en el período de dictadura militar después de 1973. Este trasfondo legal y político es crucial para entender los temas más recientes examinados en los capítulos III y IV, que abordan el período desde 1990 hasta la fecha. El tema principal del capítulo II es destacar la naturaleza política de los instrumentos económicos, tanto la decisión de adoptar tales instrumentos en general como el diseño de sus características específicas.

El capítulo III observa el debate político, y sobre políticas públicas, que se ha desarrollado en Chile respecto a cómo (o si se debe) reformar el Código de Aguas, después del retorno del país a la democracia en 1990. A pesar de los más de trece años de esfuerzos sostenidos para efectuar algún tipo de reforma legislativa, una fuerte oposición política ha bloqueado la mayor parte de las propuestas del gobierno. Más aún, los términos del debate y el rango de posibles alternativas se han estrechado de manera alarmante. El mensaje principal aquí es la importancia trascendental del contexto político e institucional para que se puedan producir cambios significativos en las políticas hidrológicas y en la gestión del agua.

En el capítulo IV reviso el progreso en los ámbitos de la investigación y del análisis sobre los resultados empíricos de los mercados de aguas chilenos. Al igual que el capítulo III, éste se centra en el período desde 1990 hasta la fecha (antes de la transición a la democracia no se hizo investigación en esta área). Discuto las áreas de consenso emergente respecto a cómo describir el comportamiento y los resultados de los mercados de aguas chilenos —de acuerdo con expertos tanto chilenos como extranjeros—, y después pongo mi atención en los temas que se han descuidado y que todavía esperan un estudio más adecuado. Estos temas ausentes incluyen la equidad social, la gestión de cuencas, la protección ambiental y la resolución de conflictos entre diferentes usos de las aguas. El capítulo IV concluye describiendo brevemente temas recientes y emergentes respecto a las políticas hidrológicas en Chile, e indicando las direcciones hacia las que es preciso encaminar la investigación en el futuro.

Para terminar, el capítulo V presenta conclusiones generales sobre la experiencia chilena con su ley de libre mercado, junto con lecciones para los debates internacionales sobre reformas de las políticas de aguas. Resumo las fortalezas y debilidades del modelo chileno de gestión del agua, tanto en sus propios términos como en un contexto comparado e internacional. A partir de este análisis también vuelvo a mi argumento en el sentido de que la experiencia chilena ilustra la necesidad de promover un enfoque más interdisciplinario del derecho y la economía del agua.

A pesar de que este libro se centra en los temas específicos de los recursos hídricos, se pretende que el análisis general pueda aplicarse a un rango mucho más amplio de preocupaciones institucionales y de políticas en América Latina. En particular, la experiencia chilena de intentar reformar el Código de Aguas de 1981 es un ejemplo magnífico de lo que ha llegado a llamarse reformas de «segunda generación» o de «segunda fase». La «primera generación» de reformas fue el conjunto de políticas neoliberales que se pusieron en práctica en casi todos los países latinoamericanos desde los años setenta hasta finales de la década de los noventa (el término *neoliberal* utilizado aquí como sinónimo de «libre mercado»). A menudo se hace referencia a estas políticas como el «consenso de Washington», porque han sido agresivamente promovidas por el gobierno de los Estados Unidos y por las instituciones financieras multilaterales con sede en Washington, en particular el Banco Mundial y el Fondo Monetario Internacional. Las políticas neoliberales se han aplicado tanto en el nivel de la macroeconomía como en el de los sectores sociales y económicos específicos (tales como los recursos hídricos en Chile).

Estas políticas neoliberales han sido altamente controvertidas y han tenido, sin duda, tanto impactos positivos como negativos en distintos países. Cualquiera que sea la perspectiva que uno tenga sobre estas políticas, desde mediados de la década de los noventa incluso sus más entusiastas defensores han reconocido la necesidad de «reformar las reformas», esto es, de confrontar los problemas de inequidad social y de errores institucionales provocados a menudo por no prestar la suficiente atención a la privatización y el libre mercado. Una parte fundamental de esta «segunda generación» de reformas son los esfuerzos por reformar los sistemas judiciales, legales y reguladores.[1]

Hasta ahora, sin embargo, ha habido muy pocos ejemplos concretos de reformas de «segunda generación» en América Latina que tengan suficiente trayectoria como para evaluarlos empíricamente. En este sentido, la experiencia de Chile con las políticas de aguas es inusual, y tiene una resonancia que va mucho más allá del ámbito específico de los temas del agua.

I. El contexto internacional: la crisis del agua y los debates sobre políticas hidrológicas

E n el contexto internacional, el modelo chileno de gestión del agua representa una respuesta a lo que cada vez más se reconoce como una «crisis mundial del agua». Esta crisis ha sido causada por la confluencia de varias tendencias internacionales en el uso y gestión del agua, tendencias que son notablemente comunes y muy difundidas por todo el mundo a pesar de las obvias diferencias en las condiciones sociales, económicas y geográficas.

La tendencia fundamental es la siempre creciente demanda de agua para una cantidad cada vez mayor de objetivos sociales, económicos y ambientales. Estas demandas crecientes y en proceso de multiplicación son impelidas por las fuerzas de largo plazo del crecimiento de la población y el crecimiento económico. Las demandas en continuo aumento han hecho que los recursos hídricos sean relativamente más escasos, lo que ha elevado el valor económico del agua, intensificado los niveles de competencia y de conflicto entre los diferentes consumidores, y magnificado los impactos ambientales del uso del agua. Las dinámicas de estas diferentes variables —creciente escasez, valor económico, conflicto e impacto ambiental— se refuerzan unas a otras y han conducido a un círculo vicioso en muchas partes del mundo.[1]

Más aún, la escasez de agua no es solamente un problema de cantidad de agua; también incluye aspectos como la contaminación y la calidad del agua. La falta de agua suficiente de calidad adecuada, para cualesquiera que sean sus usos, es un problema de escasez. Estos dos aspectos de la gestión del agua están siempre físicamente interrelacionados.

Desde comienzos de la década de los noventa, tanto el alcance como la severidad de los problemas mundiales relativos al agua han sido ampliamente reconocidos en todo el mundo, tal como indica una serie de conferencias internacionales de alto perfil. Especialmente prominentes fueron la Conferencia Internacional sobre el Agua y el Medio Ambiente, celebrada en Dublín en 1992; la Conferencia de las Naciones Unidas sobre Medio Ambiente y Desarrollo (también conocida como la Cumbre de la Tierra), celebrada en Río de Janeiro, también en 1992; y el II Foro Mundial del Agua, que tuvo lugar en La Haya en el año 2000. Estas conferencias y eventos relacionados han llevado a un consenso internacional respecto a la necesidad de hacer reformas de cierta entidad de las leyes y políticas hidrológicas, así como de las formas de administración de las aguas para poder afrontar los crecientes problemas de escasez y conflictos. El modelo chileno ha sido mencionado a menudo en estas conferencias internacionales como un ejemplo de reforma con resultados satisfactorios.

Varios temas han dominado los debates internacionales sobre políticas hidrológicas. Uno es que las reformas de políticas públicas deberían moverse en la dirección de una gestión más «integrada» de los recursos hídricos, incluyendo la sostenibilidad ambiental en el largo plazo. Esta noción goza de un apoyo retórico muy amplio.

Un segundo tema es que las reformas del agua deberían adoptar un enfoque más «económico», haciendo uso de los incentivos de mercado y otros instrumentos económicos para aumentar la eficiencia del uso y de la asignación de las aguas. Este enfoque es más controvertido, pero es bastante aceptado como un principio general, y es el contexto en el cual el modelo chileno es más comúnmente discutido.

Un tercer tema es que la gestión del agua debería hacer más hincapié en los problemas de la pobreza y de la inequidad social, especialmente en los países más pobres del mundo en vías de desarrollo.

Más allá del consenso retórico general, por supuesto, hay mucho menos acuerdo sobre cuáles deberían ser las reformas específicas de las políticas públicas. Por lo menos en teoría, la gestión integrada de los recursos hídricos debería incluir aspectos económicos, sociales y ambientales. Es discutible, sin embargo, si estos tipos de reformas son realmente compatibles.

En este libro centro la mayor parte de mi atención en los dos primeros temas —los argumentos a favor de enfoques más integrados y más económicos en la gestión del agua— e integro los temas de equidad social en este contexto.

GESTIÓN INTEGRADA DE LOS RECURSOS HÍDRICOS

Se ha vertido una gran cantidad de tinta sobre el tema de la gestión integrada de los recursos hídricos (GIRH), y ofrezco aquí sólo un breve resumen de este debate. La GIRH pretende ser un enfoque completo e interdisciplinario que reconoce y trata los muchos aspectos sociales, económicos, políticos, técnicos y ambientales de los temas relativos al agua. De acuerdo con la definición de la Global Water Partnership (Asociación Mundial del Agua), «la GIRH es un proceso que promueve el desarrollo y gestión coordinados del agua, la tierra y los recursos relacionados, con el fin de maximizar el bienestar económico y social resultante de manera equitativa sin comprometer la sostenibilidad de ecosistemas vitales».[2] Esto exige comprender el ciclo hidrológico general, es decir, los procesos continuos del agua cuando se evapora de los océanos, cae en forma de lluvia y nieve, y fluye por las superficies terrestres y a través de las rocas y los suelos de vuelta a los océanos.

Adoptar una perspectiva holística como ésta contrasta con los enfoques fragmentados y sectoriales que históricamente han dominado las leyes, políticas e instituciones relativas al agua en la mayoría de los países. Un enfoque integrado destaca las íntimas conexiones entre aspectos que casi siempre se regulan de forma separada, tales como la relación entre los usos de las aguas y de los suelos, la relación entre aguas subterráneas y superficiales, y la relación entre calidad y cantidad. De modo similar, un enfoque integrado por su naturaleza trata las cuencas hidrográficas de los ríos como la unidad geográfica más apropiada para la gestión del agua, en vez de tratarlas como áreas definidas por límites políticos o administrativos.[3]

Una de las expresiones más conocidas del actual consenso internacional sobre gestión del agua son los llamados Principios de Dublín. Estos principios emergieron de la Conferencia Internacional sobre el Agua y el Medio Ambiente celebrada en Dublín en 1992 (precursora de la Cumbre de la Tierra en Río de Janeiro más tarde ese mismo año). La conferencia de Dublín congregó a muchos expertos en aguas y organizaciones de todo el mundo, y concluyó con una declaración pública sobre la necesidad de una gestión más integrada de los recursos hídricos, junto con una descripción de cuatro principios guía para ayudar a lograrlo. Los Principios de Dublín cubren temas ambientales, sociopolíticos, de género y económicos, tal como sigue:

> 1. El agua dulce es un recurso finito y vulnerable, esencial para sustentar la vida, el desarrollo y el medio ambiente […].
> 2. El desarrollo y gestión del agua debería estar basado en un enfoque participativo, involucrando a los usuarios, planificadores y responsables de formular las políticas públicas en todos los niveles […].
> 3. Las mujeres desempeñan un papel fundamental en el abastecimiento, gestión y cuidado del agua […].
> 4. El agua tiene un valor económico en todos sus usos que compiten entre sí y debería ser reconocida como un bien económico […].[4]

A pesar de que estos principios son obviamente muy generales, su expresión concisa ha sido útil para enmarcar y publicitar los temas principales de los debates internacionales sobre políticas hidrológicas. Más aún, esta formulación particular ha sobrevivido después de la Conferencia de Dublín de 1992 a causa de la subsiguiente creación de la Global Water Partnership (GWP), una organización internacional establecida en 1996 para promover y ayudar a poner en práctica los Principios de Dublín en todo el mundo.[5]

Es evidente que la gestión integrada de los recursos hídricos es un concepto ideal más que un conjunto de directrices y prácticas específicas. Al igual que «desarrollo sostenible», es una frase que todos podemos entender de muchas maneras distintas; porque parece significarlo todo, puede terminar no significando nada. Sin embargo, incluso como un término retórico, la GIRH tiene su importancia como un reflejo del consenso internacional actual sobre los principios generales de la gestión del agua, en particular el que guarda relación con la necesidad de considerar un amplio conjunto de factores, disciplinas profesionales y perspectivas analíticas para cualquier intento de GIRH.

También existen paralelismos importantes entre la GIRH y el desarrollo sostenible, ya que el logro de cualquiera de las dos metas depende de alcanzar los tres mismos criterios esenciales: eficiencia económica y crecimiento económico, equidad social y protección ambiental. A menudo se hace referencia a estos tres criterios (y se los representa gráficamente) como el triángulo del desarrollo sostenible.

La naturaleza holística e interdisciplinaria de la gestión integrada de los recursos hídricos también es ilustrada por el reciente brote de interés por la «gobernanza del agua». Dado que abarca los amplios aspectos sociales y políticos de la gestión del agua, la gobernanza del agua va más allá de los aspectos técnicos y científicos que tradicionalmente han constituido el eje central de la gestión del agua. La Global Water Partnership ha declarado que «la crisis del agua es principalmente una crisis de gobernanza»,[6] y ha definido esta última como «el conjunto de sistemas políticos, sociales, económicos y administrativos que se han instalado para desarrollar y gestionar los recursos hídricos, y el suministro de servicios hídricos, en diferentes niveles de la sociedad». Esta definición se inspira en una más general que hace el Programa de las Naciones Unidas para el Desarrollo: «La gobernanza es el ejercicio de la autoridad económica, política y administrativa para abordar los asuntos de un país en todos los niveles [...] comprende los mecanismos, procesos e instituciones a través de los cuales los ciudadanos y grupos articulan sus intereses, ejercen sus derechos legales, cumplen con sus obligaciones y transmiten sus diferencias».[7]

La gobernanza es un concepto muy amplio e inclusivo, cuyos diferentes aspectos son inherentemente difíciles o imposibles de cuantificar, y que ha generado una creciente literatura en ámbitos relacionados con políticas públicas y regulación. En este libro no analizo esta literatura con más detalle. Sin embargo, es claro que los temas de gobernanza están íntimamente relacionados con las medidas institucionales, si es que no son idénticos, tal como se argumenta en los apartados siguientes.

PERSPECTIVAS SOBRE EL AGUA COMO UN «BIEN ECONÓMICO»

El más controvertido de los Principios de Dublín ha sido el cuarto, el que afirma que el agua «debería ser reconocida como un bien económico». ¿Qué significa esto, y cuáles son las consecuencias en términos de políticas públicas? La mayor parte del debate internacional sobre estos interrogantes se ha centrado en las ventajas y desventajas de los mercados libres y de la privatización.

Muchas personas están de acuerdo en que la eficiencia económica en el uso y asignación de las aguas es muy importante, y que las fuerzas del mercado y los incentivos económicos, incluidos los precios, son herramientas poderosas para aumentar esta eficiencia. Existe mucho menos acuerdo, sin embargo, respecto a cuán libres o no regulados deberían ser tales mercados. Los más fuertes defensores del mercado alegan que tratar los recursos hídricos como un bien económico significa tratar el agua como una mercancía plenamente privada y comerciable, sujeta a las reglas y fuerzas del libre mercado; desde esta perspectiva, el valor económico del agua es el mismo que su precio en el mercado. La visión opuesta extrema considera el acceso al agua como un derecho humano básico, y ve las fuerzas del mercado y los precios como inaceptables o irrelevantes. De hecho, los Principios de Dublín tratan de conciliar ambas visiones. Inmediatamente después de enunciar la discutida frase —«El agua tiene un valor económico en todos sus usos que compiten entre sí y debería ser reconocida como un bien económico»—, la declaración de Dublín continúa: «Como parte de este principio, es vital reconocer primero el derecho básico de todos los seres humanos a tener acceso a agua limpia y a servicios sanitarios a un precio asequible».[8]

Una posición intermedia es que el agua debería ser reconocida como un recurso escaso, lo que significa que las reservas disponibles son insuficientes para satisfacer todas las demandas y que a la hora de asignar el agua a los diferentes usos es necesario adoptar soluciones de compromiso. Estas concesiones mutuas, sin embargo, no tienen por qué hacerse a través de mercados privados o no regulados.

Es importante hacer aquí una distinción básica entre la privatización de los *recursos* hídricos y la privatización de los *servicios* hídricos. La privatización de los recursos hídricos tiene que ver con la propiedad, el uso, la gestión y la regulación de los recursos hídricos mismos, lo que constituye el tema central de este libro. En contraste, la privatización de los servicios hídricos se refiere a las organizaciones y la infraestructura que suministran agua a los consumidores, y los costes y condiciones respecto a cómo se suministra esta agua. A pesar de que estas dos áreas están íntimamente relacionadas y a menudo se meten en el mismo saco cuando la gente habla vagamente sobre la «privatización del agua», los temas fundamentales y los objetos de preocupación pueden ser muy diferentes. Gran parte de la reciente controversia internacional en esta área —por ejemplo, en el II Foro Mundial del Agua en La Haya, en el año 2000— ha sido sobre el suministro de servicios hídricos más que sobre los recursos naturales o los temas ambientales en sí.[9]

En este capítulo reviso las interpretaciones específicas del cuarto Principio de Dublín que han propuesto los economistas internacionales de aguas. Antes de hacer esto, sin embargo, quiero traer a colación brevemente algunas cuestiones generales sobre las distintas perspectivas económicas y escuelas de pensamiento.

Para los propósitos de este libro, distingo entre lo que llamaré perspectivas «estrechas» y «amplias» en el análisis económico. La distinción está basada en dos características esenciales: primero, cuán abierto está el análisis a disciplinas académicas y métodos académicos distintos de la economía neoclásica ortodoxa; y segundo, cuánta atención se presta al marco institucional de los mercados y de la actividad económica en general. Estas dos características están íntimamente relacionadas; más aún, son en cierto sentido dos maneras de expresar la misma idea, ya que las medidas institucionales y el contexto sociopolítico están, por definición, típicamente fuera del ámbito de la economía neoclásica. (Cuando uso los términos *instituciones* y *medidas institucionales,* me refiero ampliamente a las normas y reglas legales, políticas y sociales, y las estructuras organizativas que conforman los patrones del comportamiento humano).

En términos generales, cuando hablo de perspectivas económicas estrechas, o reduccionistas, me refiero a los enfoques más formales, cuantitativos y técnicos de la economía neoclásica. La perspectiva estrecha también incluye la economía neoliberal, que es la versión de libre mercado más extrema de la economía neoclásica. Reconozco que muchos economistas neoclásicos no son neoliberales, pero, aun así, sus visiones de las instituciones y de los límites de la economía son muy similares. En contraste, cuando hablo de perspectivas económicas más amplias, me refiero a enfoques que se basan fundamentalmente en análisis cualitativos, históricos e interdisciplinarios, tales como los campos de la economía institucional, de la economía política y de la economía ecológica.[10] Más adelante en este capítulo mencionaré algunos ejemplos de estos enfoques tal como se aplican a los problemas relacionados con el agua.

Otro modo de expresar el contraste entre las perspectivas amplias y estrechas es comparar hasta qué punto el ámbito de la «economía» es considerado separable de la historia o de otras ciencias sociales. Desde una perspectiva estrecha, los métodos económicos son esencialmente matemáticos, y el análisis económico es en gran medida independiente de los factores sociales, políticos, históricos, culturales o geográficos. Estos factores son bastante difíciles de cuantificar; de ahí que generalmente se dejen de lado o se asuman como dados.

No quiero exagerar la distinción entre perspectivas económicas estrechas y amplias, y no quiero criticar la economía neoclásica injustamente. Las diferentes perspectivas se sitúan a lo largo de un espectro continuo, en lugar de constituir polos opuestos, y hay muchos economistas neoclásicos que se ubican en algún lugar intermedio (esto es especialmente cierto respecto de las generaciones más antiguas de economistas). Personalmente, me baso en algunos de los principios fundamentales del análisis neoclásico (aunque no en la matemática), como quedará claro a lo largo de gran parte de este libro, y reconozco plenamente los beneficios del mercado. Más aún, incluso los economistas en el extremo más estrecho del espectro suelen reconocer, por lo menos en teoría, la importancia de las medidas legales, institucionales y políticas para el funcionamiento de los mercados. El problema es que estas medidas todavía se consideran condiciones «no económicas», cuya existencia previa debe ser asumida para poder desarrollar un análisis económico cuantitativo.

Una perspectiva económica institucional, en contraste, se centra directamente en las medidas institucionales, incluso a pesar de que esto exige un análisis cualitativo de factores no económicos, tales como el derecho, la política, la cultura, y el contexto histórico y social. Dado que las reglas que gobiernan los mercados son previas a los mercados mismos, utilizar métodos basados en el mercado para analizar las reglas puede llevar a conclusiones que son demasiado estrechas, o simplemente equivocadas. En vez de eso deberíamos analizar estas reglas en términos de los valores e intereses de las personas que influyen en su diseño.

A pesar de que la economía institucional es en cierta manera una crítica de la economía neoclásica, el principal objetivo es aprovechar e incorporar las ideas del análisis neoclásico en lugar de rechazarlas. Mi intención aquí es simplemente resaltar las limitaciones de la teoría neoclásica cuando se aplica a asuntos institucionales. En las últimas décadas se ha realizado una gran cantidad de trabajo académico en los campos del «derecho y economía» y de la «nueva economía institucional», en los que el análisis económico neoclásico se ha aplicado a una gran diversidad de cuestiones legales e institucionales. Los derechos de propiedad han sido un centro de atención especial, dado que la propiedad es una de las áreas fundamentales de solapamiento entre la economía y el derecho. A pesar de que la creciente atención que los economistas prestan a estos temas ha significado un importante cambio, la profundidad de los alcances logrados ha sido a menudo limitada desde el punto de vista de alguien capacitado en derecho, política, historia y sociología. Todavía es frecuente que los análisis económicos simplifiquen o malinterpreten la naturaleza del derecho y de las instituciones, esto es, en qué consisten, cómo funcionan y cómo son conformadas por el contexto social y político. Un ejemplo común de este problema es la presunción respecto a que el principal objetivo de las instituciones legales es facilitar los mercados. A la luz de estas simplificaciones, las declaraciones de muchos economistas sobre la importancia de instituciones efectivas pueden parecer conjuros rituales, sin mucho impacto sustantivo en sus análisis.[11]

Todas estas cuestiones tienen consecuencias políticas así como académicas y analíticas. El término *instituciones* es, en cierta medida, un sinónimo de «gobierno» o «estado»; por lo tanto, la forma en que las personas se aproximan a los aspectos institucionales de los mercados está directamente relacionada con sus visiones sobre el papel apropiado de la regulación gubernamental.

Es en este contexto de diferentes perspectivas económicas donde suelo mostrarme crítico con las posiciones del Banco Mundial sobre el agua y los temas relacionados. El Banco mismo no es mi principal blanco o preocupación en este libro, excepto en la medida en que representa una perspectiva económica estrecha. Esta perspectiva, desafortunadamente, ha sido tan dominante que los análisis del Banco Mundial de legislaciones relativas al agua y de las instituciones relacionadas han tendido a ser más bien superficiales, y, en el peor de los casos, ideológicas o dogmáticas. Este problema se da incluso con las mejores publicaciones del Banco, tales como su *Gestión de recursos hídricos* de 1993.[12]

Este trabajo sobre políticas públicas, publicado el año después de la Conferencia de Dublín, es una discusión relativamente equilibrada sobre la gestión integrada del agua. Por un lado, hace un llamamiento a una mayor utilización de mecanismos de mercado, privatización, descentralización y fijación eficiente de precios, junto con una mayor participación de los consumidores. Por otro lado, reconoce la necesidad de adoptar un «marco analítico completo» *(comprehensive analytical framework)* basado en un enfoque intersectorial y que incluya fuertes instituciones legales y reguladoras. A diferencia de los Principios de Dublín, sin embargo, la prioridad del Banco son, sin lugar a dudas, los mercados y las políticas orientadas al mercado, que son examinadas y recomendadas con cierto detalle. En contraste, la discusión del marco analítico completo y de las instituciones reguladoras es más abstracto y retórico, y ofrece poca orientación a cualquiera que esté tratando de aplicar las recomendaciones respecto de las políticas públicas.

Estas limitaciones también son evidentes en otras publicaciones de prominentes economistas de aguas que trabajan en el Banco Mundial o están estrechamente relacionados con éste. Tales trabajos (a los que volveré más adelante) ilustran los decepcionantes resultados de aplicar la sabiduría económica convencional a los aspectos legales e institucionales de la gestión de los recursos hídricos. Por ejemplo, Mark Rosegrant y Hans Binswanger han defendido enérgicamente los mercados de derechos de agua comerciables en los países en vías de desarrollo. Entre muchos de sus argumentos a favor de los beneficios de tales mercados, uno de los más relevantes respecto a la gestión integrada de los recursos hídricos es su afirmación de que «los derechos de propiedad definidos apropiadamente llevarán en muchos casos a que los agricultores internalicen y por lo tanto eliminen las externalidades». Sin embargo, no dicen nada más específico sobre cuáles podrían ser estas definiciones más «apropiadas» de los derechos de propiedad, aparte, por supuesto, de que sean comerciables. Los autores mencionan la importancia del «contexto institucional y tecnológico en el nivel del mundo real del riego en países en vías de desarrollo», así como la necesidad de reformar las leyes e instituciones, pero nuevamente sin ofrecer ninguna otra explicación o detalles sobre lo que puede implicar esto.[13] De ahí que su afirmación, citada más arriba, pueda ser cierta en teoría económica, pero como orientación para la práctica legal e institucional, ofrece muy poco. Más aún, el artículo se centra en la agricultura de riego, de modo que incluso si dejamos de lado las debilidades analíticas, el argumento sólo tiene una aplicación limitada en temas más complejos e intersectoriales de la gestión del agua.

Un segundo ejemplo es un libro reciente que presenta una revisión general de la teoría y la práctica en los mercados de aguas en el mundo, una colección editada por K. William Easter, Mark Rosegrant y Ariel Dinar. En los capítulos de introducción y de conclusiones, los editores organizan su análisis en torno a la distinción conceptual básica entre lo que ellos llaman los mercados de aguas formales y los informales. La diferencia principal es cómo se hace cumplir el comercio de derechos de agua: ya sea dentro del «sistema legal y administrativo», en el caso de los mercados formales, o por los propios usuarios de aguas sin acceso a estos sistemas, en el caso de los mercados informales. En otras palabras, los mercados formales son regulados por el gobierno. Porque «la escala de los mercados informales probablemente va a ser limitada», los autores sostienen que los temas más significativos y complejos de la gestión del agua —tales como los intercambios comerciales entre sectores económicos, los trasvases de aguas entre cuencas, y las externalidades— deben ser afrontados por los mercados formales.[14]

Estos autores no son radicales en su defensa del libre mercado. Destacan que «para que los mercados de aguas funcionen, el gobierno tendrá que asumir un papel activo en establecer las medidas institucionales y organizativas apropiadas». Presentan una lista de «estrategias para mitigar los problemas y las limitaciones» de los mercados de aguas. Muchas de estas estrategias tienen consecuencias políticas, distributivas y administrativas de gran trascendencia, que en muchos países serían altamente controvertidas o muy difíciles de llevar a cabo en la práctica, o ambas cosas.[15] (En Chile, por ejemplo, tal como veremos, la mayor parte de las estrategias de mitigación serían o bien inconstitucionales o políticamente impracticables, e incluso en las mejores circunstancias políticas exigirían mejoras significativas de las capacidades institucionales existentes). Easter et al., sin embargo, no discuten estas dificultades políticas e institucionales en detalle. En lugar de eso, indican los tipos de regulaciones gubernamentales que serían necesarias en teoría y después proceden a su conclusión: «Contrariando a los "que siempre dicen que no", los mercados de aguas han funcionado y pueden ser un mecanismo excelente para reasignar agua».[16]

El problema aquí no es que los argumentos de estos expertos sean poco razonables. El problema es que descansan en suposiciones que pocas veces se cumplen en la práctica, y esto hace que sea peligroso tratar estos argumentos como recomendaciones de políticas públicas. Easter, Rosegrant y Dinar son todos economistas de aguas de larga trayectoria, experimentados. Sin embargo, cualquiera que sea la apreciación profesional o personal que puedan tener sobre las complejidades del gobierno o del proceso político, sus argumentos escritos sugieren que invocar un conjunto de suposiciones es, por sí mismo, suficiente para lograr que los mercados de aguas funcionen de modo eficiente.

En resumen, las diferencias entre perspectivas económicas más estrechas y más amplias son importantes debido a sus consecuencias para las medidas legales e institucionales. Las consecuencias son cruciales para contestar la pregunta planteada antes: ¿cómo se relaciona el reconocer el agua como un bien económico con los principales desafíos de la gestión integrada de los recursos hídricos? Sin importar cuán generalmente pueda ser definida la GIRH en teoría, si es que va a significar algo en la práctica, debe incluir las siguientes funciones esenciales:

- Coordinar diferentes usos del agua, aguas arriba y abajo, en el nivel de las cuencas hidrográficas.
- Resolver conflictos relacionados con el agua.
- Internalizar o abordar las externalidades económicas y ambientales.
- Definir y hacer cumplir los derechos de propiedad.

• Supervisar el cumplimiento de las normas sobre el uso y gestión del agua.

Todas estas funciones de la gestión están íntimamente conectadas, y poder llevarlas a cabo depende del mismo marco legal e institucional general. También implica necesariamente distribuir los costes y beneficios de los diferentes usos del agua entre diferentes personas y grupos de la sociedad, y de esto se desprende que estos procesos no pueden ser políticamente neutros o puramente técnicos.

Es preciso hacer un comentario final sobre mi propio enfoque disciplinario. Al subrayar la importancia del derecho y de las instituciones en asuntos de mercados y de economía, no me centro solamente en sus aspectos formales, el «derecho en los libros». En vez de eso, mi preocupación principal es el derecho en su contexto social: el «derecho en acción». Por lo tanto, observo las normas legales, los procesos y las instituciones a través de la óptica de la historia y de las ciencias sociales, de acuerdo con la tradición académica del «derecho y sociedad» de los Estados Unidos, que considera la distinción entre el derecho en los libros y el derecho en acción como un principio básico. En suma, adopto el mismo enfoque interdisciinario del derecho que el que defiendo que debería adoptarse en la economía.[17]

Cuando combinamos estas dos aproximaciones, podemos movernos hacia una comprensión más rica del mundo real y un enfoque más fundamentado de las políticas públicas. Me refiero a esta combinación como el derecho y economía comparados, porque un enfoque comparado es inherentemente interdisciinario, cualitativo e histórico. Este enfoque es comparado incluso si se aplica a un solo país, dado que examina ese país con relación al contexto internacional más amplio.

INTERPRETACIONES ECONÓMICAS DEL CUARTO PRINCIPIO DE DUBLÍN

En los últimos años, prominentes economistas han tratado de explicar a diversas audiencias relacionadas con políticas hidrológicas, incluyendo a economistas tanto como a no economistas, el significado de reconocer el agua como un «bien económico». En este apartado reviso ejemplos de estas explicaciones, seleccionadas por distintas razones: representan distintos puntos de vista a lo largo del espectro que va desde las perspectivas económicas estrechas hasta las amplias; estas publicaciones han sido citadas frecuentemente en los debates internacionales recientes sobre políticas hidrológicas; y sus autores son bien conocidos en los círculos de trabajo sobre políticas hidrológicas o trabajan en las organizaciones internacionales que son influyentes en temas de gestión de aguas.

Presto especial atención al uso que hacen los autores de términos y definiciones concretas, que varían de modo notable. Éste no es meramente un asunto semántico. Además de la obvia dificultad que plantean estas diferencias a los lectores que tratan de entender los conceptos y argumentos básicos —particularmente lectores con diferente experiencia disciplinaria—, las diferencias indican las presunciones fundamentales que subyacen bajo los marcos teóricos de los autores. Por ejemplo, el significado de un término como *valor económico* dista mucho de ser tan simple o evidente como puede parecer. Estas presunciones y definiciones básicas, sean explícitas o implícitas, a menudo están donde está la acción, especialmente cuando se trata de consecuencias respecto a políticas públicas.

Un punto de partida útil es el trabajo de John Briscoe, un asesor sobre temas relacionados con el agua del Banco Mundial que ha desempeñado un papel visible en articular y presentar los puntos de vista y las políticas del Banco en encuentros nacionales e internacionales. Dada la gran influencia del Banco en la gestión del agua a nivel internacional, tanto en establecer los términos del debate como en determinar el criterio para la inversión pública y privada, el papel de Briscoe ha sido de importancia estratégica.[18]

Briscoe ha presentado un marco analítico relativamente simple para gestionar las aguas como un «recurso económico», tal como él dice. Argumenta clara y contundentemente a favor de los mercados y de la economía neoclásica. (También favorece fuerte-

mente el modelo chileno, tal como plantearemos más adelante).
Comienza por distinguir tres componentes del agua como recurso económico: valor, coste de uso y coste de oportunidad. Entonces analiza la interacción entre estos tres componentes en diferentes sectores hídricos, centrándose sobre todo en el contraste
entre el abastecimiento urbano y el riego agrícola.[19]

El punto fundamental del argumento de Briscoe es que hay, o
debería haber, una ecuación entre el valor del agua por un lado y
los costes del agua por el otro. Él define *valor* simplemente como
«la disposición a pagar», siguiendo las convenciones básicas de
la teoría neoclásica. No menciona ningún concepto alternativo ni
definiciones alternativas, a pesar de que discute las dificultades
metodológicas de estimar los valores y precios del agua. El coste
económico del agua, en el otro lado de la ecuación, está com-
puesto de los costes de uso y los costes de oportunidad. El significado de *coste de uso* es sencillo: es el coste de «construir y
poner en marcha la infraestructura necesaria para almacenar, tratar, y distribuir el agua». Los costes de oportunidad son mucho
más difíciles de determinar, ya que son los costes «en los que se
incurre cuando un consumidor utiliza agua y, por lo tanto, afecta
al uso del recurso por otro consumidor». Debido a que los costes
de oportunidad se refieren a los usos alternativos para los recursos hídricos, están íntimamente relacionados con los conflictos
entre los usuarios de agua.[20]

Briscoe ilustra su argumento y deriva consecuencias para las
políticas públicas comparando los valores y costes relativos del
abastecimiento de agua urbana (tanto en los países desarrollados
como en aquellos en vías de desarrollo) con los de la agricultura
de riego (en los sistemas financiados tanto privada como pública-
mente). El contraste es notable. El abastecimiento de agua urbana es un uso de bajo volumen y de alto valor, cuyos costes de uso
son relativamente altos (por unidad de agua) pero cuyos costes de
oportunidad son bajos debido a que los usos alternativos del agua
(en particular para la agricultura) son por lo general menos valiosos. El riego, por otro lado, es un uso de alto volumen y de bajo
coste, cuyos costes de uso son más bajos (por unidad de agua)
pero cuyos costes de oportunidad son altos porque los usos alter-

nativos no agrícolas son más valiosos. Por lo tanto, argumenta Briscoe, en el sector agrícola, «desde el punto de vista de la gestión del agua como recurso económico, el desafío clave es asegurar que los usuarios consideren el coste de oportunidad del agua». En el sector urbano la situación se invierte: «Ignorar los costes de oportunidad es entonces un asunto de menor importancia práctica cuando se trata de la gestión económica del suministro de agua urbana, pero un asunto de enorme importancia práctica cuando se trata del riego».[21]

A pesar de que el marco de Briscoe es claro y resulta útil para explicar algunos conceptos importantes, tiene serias limitaciones cuando se aplica a la gestión integrada de los recursos hídricos o a problemas de cuencas hidrográficas. El análisis está casi enteramente centrado en el abastecimiento de agua urbana y en el riego, siendo ambos un uso consuntivo. No se discuten los usos ambientales del agua, la protección de la calidad de las aguas (excepto como parte de los costes del abastecimiento de agua urbano), los usos no consuntivos del agua (tales como pesca, energía hidroeléctrica o navegación), ni cómo coordinar todos estos diferentes usos de las aguas. Las externalidades son tratadas de forma muy limitada, aunque en teoría se reflejan en los costes de oportunidad.

En un trabajo posterior, Briscoe extiende su marco a la hora de considerar las externalidades, tanto las positivas (por ejemplo, caudales de retorno) como las negativas (por ejemplo, contaminación). «Estas externalidades —afirma— se incorporan fácilmente al marco conceptual [...] simplemente aumentando los costes de abastecimiento para incluir los costes de mitigar las externalidades negativas».[22] Esta frase es una buena ilustración de los peligros de una perspectiva económica estrecha, porque a pesar de que pueda conceptualmente ser verdad, no reconoce las muchas dificultades institucionales que deben superarse cuando se trata de internalizar las externalidades. Incluso el marco ampliado de Briscoe, en otras palabras, es demasiado estrecho para incluir los factores ambientales o sociales, tal como él tácitamente reconoce al citar estos factores como separados de la idea del agua como un bien económico.[23]

Un marco similar es presentado por Peter Rogers, Ramesh Bhatia y Annette Huber en su esfuerzo por explicar a los no economistas el concepto del agua como bien económico. Su trabajo fue uno de los «trabajos básicos» escritos para la Global Water Partnership para promover y hacer operativos los Principios de Dublín para la gestión integrada de los recursos hídricos (tal como se expuso anteriormente en este capítulo). Al igual que en el trabajo de Briscoe, la explicación básica de los tres expertos es bastante clara y sigue un enfoque técnico basado en la economía neoclásica y la ingeniería. Dado el amplio objetivo de la Global Water Partnership, la falta de atención a asuntos sociales, políticos e institucionales en este trabajo resulta decepcionante.[24]

Rogers et al. presentan un marco analítico que, como el de Briscoe, pone los costes económicos a un lado de la ecuación y el valor económico al otro, y explican que el uso sostenible del agua exige que los dos estén equilibrados. Su marco tiene un desglose de los diferentes componentes del coste y valor más elaborado que el de Briscoe. En el lado de la ecuación referido a los costes, ellos definen el «coste total» de modo que abarque: 1) el «coste total de abastecimiento» (es decir, costes de capital más operación y mantenimiento, o lo que Briscoe llama coste de uso); 2) los costes de oportunidad; y 3) las externalidades económicas y ambientales. Su «coste económico total» incluye todo lo anterior excepto las externalidades ambientales. Reconocen que a menudo es difícil separar las externalidades económicas de las ambientales, pero insisten en la distinción porque «las externalidades ambientales son por lo general inherentemente más difíciles de evaluar económicamente».[25]

Es en el lado de la ecuación donde se encuentra el valor donde Rogers et al. divergen más de Briscoe. Ellos definen «el valor en uso» del agua como la suma de dos componentes: valor económico y valor intrínseco. El valor económico tiene cuatro componentes: 1) «valor para los usuarios de agua» (definido como el valor marginal del producto, para los usos industriales y agrícolas, y como la disposición a pagar, para el uso doméstico, o lo que Briscoe llama simplemente valor); 2) «beneficios netos de los caudales de retorno»; 3) «beneficios netos del uso indirecto» (esto es, varias externalidades positivas); y 4) «ajuste por objetivos sociales» (es decir, criterios que no son de mercado, tales como la equidad distribucional).[26] Su inclusión de criterios que no son de mercado en el valor económico refleja una perspectiva más amplia que la de Briscoe.

La discusión de «valor intrínseco», sin embargo, es breve e incompleta. Rogers et al. reconocen la validez de los conceptos no económicos del valor, y se refieren someramente a los «beneficios ocasionados por la gestión ambiental»,[27] pero renuncian a un análisis posterior, enfrentados a las dificultades que entraña medir o calcular estos valores. A pesar de su limitada descripción, el valor intrínseco parece ser la única parte de su marco que podría incluir valores ambientales o ecológicos. (Los autores también mencionan «la fiabilidad del abastecimiento de agua» y la «calidad del agua» como dos temas que afectan al coste y el valor pero que no alteran el marco básico).

El marco propuesto por Rogers et al. es limitado en varios aspectos. Primero, su análisis de las externalidades puede ser confuso. En su modelo, tanto las externalidades económicas como las ambientales están ubicadas en el lado de la ecuación del coste; éstas son presumiblemente externalidades negativas, a pesar de que no son identificadas como tales. Al mismo tiempo, varios componentes en el lado del valor también incluyen externalidades, a pesar de que los autores no parecen tomar esto en consideración. De acuerdo con su definición de valor económico, por ejemplo, ambos tipos de «beneficios netos» (es decir, beneficios de los caudales de retorno y beneficios del uso indirecto) esencialmente se refieren a las externalidades positivas, a pesar de que no usan el término. Además, en muchas circunstancias el «ajuste por objetivos sociales» es al menos parcialmente un esfuerzo por compensar o redistribuir los impactos de las externalidades. Más aún, en la medida en que el «valor intrínseco» incluye todos los costes y beneficios ambientales (no económicos), presumiblemente debe incluir las externalidades ambientales de alguna manera. Pero Rogers et al. no dicen nada sobre cómo, o si, estas externalidades de coste y valor están relacionadas una con la otra a través de ambos lados de la ecuación.

Un segundo problema es que los factores y valores ambientales están pobremente incorporados en este marco, tal como los autores mismos admiten.[28] Éstos no sugieren ningún remedio aparte de las técnicas econométricas de valoración no de mercado, o *nonmarket valuation* (las cuales, cualesquiera que sean sus méritos académicos, tienen una cuestionable aplicabilidad en la política pública). Esto refleja la perspectiva disciplinaria general de su trabajo: el marco es fuerte en ámbitos técnicos y cuantitativos tales como la economía neoclásica, la ingeniería y el análisis de sistemas, pero débil o silencioso en relación con el derecho, la política u otras ciencias sociales. Los aspectos institucionales de la gestión del agua, en consecuencia, apenas se mencionan.

Otros economistas del desarrollo han argumentado a favor de una perspectiva más amplia del significado del agua como bien económico. Un buen ejemplo es un documento escrito por C.J. Perry, David Seckler y Michael Rock, y publicado por el Instituto Internacional de Gestión del Riego. A pesar de que Perry et al. se centran particularmente en el uso del agua en la agricultura de riego, su análisis es aplicable de forma más general. Interpretan que el cuarto Principio de Dublín está redactado deliberadamente de forma vaga en un esfuerzo por encontrar un compromiso entre los extremos del libre mercado y los puntos de vista contrarios al mercado, una solución intermedia, en otras palabras, «entre aquellos, principalmente economistas, que querían tratar el agua del mismo modo que otros bienes privados, sujetos a asignación a través de una fijación competitiva de precios de mercado, y aquellos que querían tratar el agua como una necesidad humana básica que debería estar mayormente exenta de una fijación de precios y asignación competitiva de mercado».[29] Perry et al. consideran ambos extremos dogmáticos y simplistas, y por lo tanto peligrosos cuando se aplican a la política pública. Critican el análisis de Briscoe, discutido antes, como un ejemplo de sesgo favorable al mercado que simplifica excesivamente los temas más amplios del bienestar social.

Perry et al. argumentan que el agua es sin lugar a dudas un bien económico simplemente porque es escaso en relación con sus muchos usos alternativos. Su punto crucial, sin embargo, es que incluso en términos neoclásicos ortodoxos, el agua puede ser un bien tanto privado como público, dependiendo del contexto. En contextos donde sus características como bien privado son dominantes, el agua puede ser asignada a través de mecanismos de mercado con buenos resultados. En las muchas circunstancias en las que sus características como bien público son más importantes, el agua es sujeto de los clásicos problemas de «fallos del mercado», tales como externalidades, costes de transacción, poder monopolístico y derechos de propiedad inseguros o no efectivos, y, en tales circunstancias, las instituciones no de mercado son esenciales.

La distinción entre bienes privados y públicos es tan elemental en la economía neoclásica, y el reconocimiento de que el agua comparte aspectos de ambos es tan común, que es sorprendente que este punto a menudo sea oscurecido en los debates internacionales sobre políticas hidrológicas (incluyendo los trabajos de Briscoe y Rogers et al. discutidos en las líneas precedentes). Asimismo, cuando discuten el valor del agua, Perry et al. trazan una distinción entre «valor financiero», que puede ser prontamente medido por precios de mercado, y la categoría más amplia del «valor económico», para la cual los precios de mercado, por sí solos, son una pobre medida.

En conclusión, Perry et al. describen un conjunto de requisitos legales, técnicos e institucionales que deberían cumplirse antes de introducir las fuerzas de mercado en la asignación de las aguas. Estos requisitos incluyen la definición de los derechos de todos los usuarios «en todos los niveles de la disponibilidad del recurso»; la existencia de infraestructura para distribuir estos derechos y estándares aceptables para medir la distribución; la disponibilidad de un «recurso efectivo» para los usuarios que no reciben sus derechos, así como para terceros que son afectados por cambios en el uso; el pago de tasas* por uso; y las agencias reguladoras capaces de revisar y modificar los trasvases de agua de gran escala. Los autores son muy conscientes de que cumplir

---

* *Fee* en el original en inglés, que en Chile se traduce como «patente» y en España como «tasa».

todos estos requisitos no es fácil. Concluyen que «si no se dan estos requisitos básicos —la norma en la mayoría de los países en vías de desarrollo—, las variantes más extremas de la privatización, tales como la fijación plena de precios del agua y las asignaciones de mercado no reguladas, es probable que hagan más daño que bien».[30]

Desmond McNeill, otro economista del desarrollo y anterior asesor en aguas de la Agencia Noruega de Cooperación al Desarrollo, ofrece un argumento similar. Lamenta la naturaleza «confusa y acalorada» del debate internacional en este ámbito, y, como Perry et al., afirma que el agua es obviamente un bien económico, simplemente porque es un recurso escaso para el cual hay muchos usos competitivos. Tomar esta posición, sin embargo, «no implica necesariamente que se deba pagar un "precio de mercado" por [el agua], ni incluso que éste deba ser pagado en absoluto. Significa simplemente que el agua es [...] un recurso valioso que no debería malgastarse».[31]

McNeill argumenta que suponer que el tratar el agua como bien económico exige fijación de precios de mercado refleja una perspectiva «economicista» estrecha más que una perspectiva «económica» amplia. Desde su punto de vista, la perspectiva economicista es estrictamente neoclásica y confinada al «ámbito del mercado», en el cual los objetivos predominantes son la eficiencia económica y el crecimiento. Por otro lado, la perspectiva económica es lo suficientemente amplia como para reconciliar objetivos economicistas con objetivos sociales y ecológicos, tal como exige el triángulo del desarrollo sostenible. A pesar de que McNeill critica la perspectiva economicista por ser incapaz de considerar estos otros objetivos, es igualmente crítico con el argumento común en el sentido de que el agua es un «bien social» —una necesidad humana básica— más que un bien económico. Está de acuerdo con que el argumento refleja preocupaciones válidas sobre la salud pública y el acceso equitativo al agua potable, pero agrega que éste conduce a un análisis confuso y a un mal diseño de políticas públicas si las personas se niegan a reconocer que los recursos son escasos y que se deben tomar decisiones drásticas.[32]

McNeill hace ver que todo este debate debe ser entendido en el contexto de las políticas de las organizaciones internacionales. Hay diferentes intereses sectoriales en juego, así como diferentes perspectivas disciplinarias. La gente y las organizaciones cuyas principales preocupaciones son el abastecimiento de agua potable o el desarrollo agrícola, especialmente en países pobres, van a ser más propensos a confrontar argumentos que conducen a precios más altos para el agua.

Un último ejemplo de un economista de aguas con una perspectiva amplia es F. Lee Brown, de la Universidad de Nuevo México. Al igual que Perry et al. y McNeill, sostiene que reconocer el agua como un bien económico simplemente significa que «es escaso en relación con los usos a los que se puede aplicar». Este reconocimiento, dice Brown, «no es una novedad de los años noventa, a pesar de la importancia que la declaración de Dublín concede a este término. El agua ha sido reconocida y tratada como un bien económico por cada civilización que se encontró con una escasez del recurso [...]. Lo que es nuevo y diferente en la perspectiva moderna del agua no es el hecho de que tenga características *económicas,* sino que está adquiriendo el estatus de una mercancía comercial, diferente y divorciada de su valor para la comunidad de muchas maneras que difieren de su valor de escasez económica por sí sola».[33] Brown argumenta que el modo de fundir la perspectiva del valor del agua como mercancía con la perspectiva de la comunidad es centrarse en el concepto de las concesiones mutuas que haya que hacer, más que en los precios o en los mercados.

ESTIRANDO EL PARADIGMA NEOCLÁSICO: ECONOMÍA INSTITUCIONAL Y ECOLÓGICA

En el extremo más amplio del espectro de los enfoques del análisis económico existen dos escuelas de pensamiento que cuestionan el marco neoclásico dominante y que generalmente los economistas neoclásicos pasan por alto o descartan: la economía institucional y la economía ecológica. Quiero cerrar la revisión teórica realizada en este capítulo sintetizando dos ejemplos de trabajo en la gestión del agua que ilustran estas perspectivas. Como dije anteriormente, me refiero aquí a la «antigua» más que a la «nueva» economía institucional (siendo esta última la aplicación de la economía neoclásica a temas legales e institucionales tales como los derechos de propiedad).

El primer ejemplo es un trabajo clásico, escrito en 1982 por el economista institucional Daniel Bromley, en el que discute las limitaciones de ciertos principios fundamentales de la teoría neoclásica cuando se trata de recomendar políticas públicas para la gestión de los recursos naturales. Bromley socava la afirmación común de que el análisis neoclásico es «científico» o neutral en términos de valores; él aboga en cambio por una perspectiva institucional.[34]

Bromley sostiene que el concepto de la eficiencia económica —en muchos sentidos el concepto central del enfoque neoclásico— tiene importantes limitaciones como principio guía para adoptar decisiones sobre políticas públicas. En primer lugar, la eficiencia relativa de las diferentes asignaciones de recursos puede ser establecida solamente para un conjunto dado de medidas institucionales y una determinada distribución inicial de recursos. La lógica no puede ser simplemente invertida: la eficiencia no puede ser el estándar para comparar medidas institucionales. En segundo lugar, escoger entre medidas institucionales casi inevitablemente afecta a la equidad distributiva; esto es, la distribución de los costes y beneficios de los usos de los recursos entre individuos y grupos en el interior de la sociedad. Desde la perspectiva de Bromley, ya que los economistas deben asumir ciertas condiciones sociales e institucionales para poder calcular la eficiencia económica, los cálculos resultantes tienen ciertos sesgos incorporados. La eficiencia económica es indudablemente un principio importante que hay que tener en cuenta al tomar decisiones respecto de políticas públicas —decisiones que por lo general implican escoger entre medidas institucionales—, pero no debería ser entendida como esencialmente técnica o políticamente neutral.[35]

Bromley destaca el papel esencial del derecho y de las instituciones legales —tribunales, legislaturas y agencias administrativas— para determinar valores económicos. Estas instituciones elaboran y hacen cumplir las reglas que determinan los derechos, deberes y relaciones de la gente. Los mercados y los precios son una parte importante del proceso para determinar y medir el valor, pero en aspectos cruciales ellos son el *efecto* de las medidas institucionales, y no mecanismos autónomos. Bromley concluye planteando «tres interrogantes económicos fundamentales» sobre el uso de los recursos naturales: ¿quién hace las reglas?; ¿quién recibe los beneficios?; ¿quién paga los costes? Estas preguntas subrayan el carácter inherentemente institucional y distributivo de la economía de los recursos naturales.[36]

Un segundo ejemplo es el trabajo de Federico Aguilera, un prominente economista de aguas español que trabaja tanto en la economía institucional como en la economía ecológica. En un trabajo de 1998 en el que discute los elementos de una «nueva economía del agua», Aguilera describe un proceso histórico contemporáneo en España que es muy similar a la experiencia en las últimas décadas en los Estados Unidos. Describe el fin de la era de políticas hidrológicas en España, que se centraron enteramente en construir y subsidiar infraestructura de aguas para aumentar la oferta disponible, y el comienzo de una nueva era que hace prevalecer la gestión del agua sobre la construcción de más infraestructuras.[37]

Aguilera compara tres perspectivas económicas sobre el agua como recurso. Dos son conceptos neoclásicos tradicionales: primero, la noción del agua simplemente como un factor de producción, prestando poca atención al marco institucional o a las normas que determinan cómo se utiliza el agua; y, segundo, la noción del agua como activo financiero, que puede ser gestionado o puesto a disposición según su rentabilidad y riesgo en relación con otros activos económicos. La tercera perspectiva es la noción del agua como un «activo ecosocial», lo que significa «la capacidad […] de satisfacer todo un conjunto de funciones económicas, sociales y ambientales, tanto de carácter cuantitativo como cualitativo».[38] Esta tercera perspectiva incluye la noción del agua como un factor de la producción, pero es incompatible con la noción del agua como un activo financiero.

Aguilera afirma que España está actualmente en una difícil y conflictiva transición hacia la tercera perspectiva económica: la noción del agua como un activo ecosocial. El primer paso en esta transición consiste en conceder mayor importancia a la gestión de la demanda de agua en lugar de desarrollar nuevas fuentes de abastecimiento. Esta fase transicional incluye una mayor conciencia social sobre los problemas ambientales, crecientes conflictos y creciente participación ciudadana, y un uso cada vez mayor de incentivos para un uso y distribución más eficiente del agua. El próximo paso será lograr una «gestión integrada del agua y del territorio», lo que exigirá tanto una nueva economía como una nueva cultura del agua.[39]

En breve, la amplia perspectiva de Aguilera sobre la economía del agua nos trae de vuelta a los debates internacionales sobre la crisis del agua y la reforma de las políticas hidrológicas. Como se ha dicho antes en este capítulo, una gestión más integrada de los recursos hídricos exigirá un enfoque más completo e interdisciplinario que refuerce el valor de la sostenibilidad ambiental a largo plazo.[40]

IMPORTANCIA INTERNACIONAL DEL MODELO CHILENO

La importancia internacional del Código de Aguas de Chile de 1981 se debe a su enfoque único y extremadamente orientado al libre mercado del tratamiento del agua como un bien económico, un enfoque que se describirá de forma pormenorizada en el próximo capítulo. Desde los años noventa, la fama del modelo chileno —por lo general mencionado simplemente como «mercados de aguas chilenos»— ha cundido entre expertos de aguas internacionales y latinoamericanos. Gran parte de esta fama se debe al Banco Mundial, que ha publicitado activamente el caso chileno como un modelo de éxito y una inspiración para la reforma de las políticas hidrológicas en otros países.[41]

La evidencia de que el Código de Aguas chileno ha sido considerado un modelo internacional nos llega de diferentes formas. Una es el constante flujo de publicaciones del propio Banco

Mundial o de economistas asociados con el Banco. (Discutiré los principales argumentos de estas publicaciones en el capítulo IV; aquí quiero simplemente destacar su papel en la difusión del caso chileno). Por ejemplo, el caso chileno figuró prominentemente en un artículo escrito en 1994 por Rosegrant y Binswanger —economistas del Instituto Internacional de Investigación sobre Política Alimentaria y del Banco Mundial, respectivamente—, que presentan un argumento exhaustivo a favor de establecer mercados de derechos de agua comerciables en los países en vías de desarrollo (tal como se ha apuntado ya en este capítulo). Ese mismo año el Banco Mundial publicó un informe, escrito por un economista del Banco, Mateen Thobani, que recomendaba reformas a favor del mercado de las leyes de aguas en Perú y que se apoyaba contundentemente en una descripción (por lo demás selectiva) de la legislación chilena. En 1995, el Banco publicó dos trabajos técnicos sobre los mercados de aguas chilenos, que han sido ampliamente citados. Con posterioridad el caso chileno ha sido incluido rutinariamente en las revisiones internacionales, tales como *Mercados de aguas en las Américas* del Banco Mundial y un libro editado en 1998 sobre los mercados de aguas en todo el mundo (también citado anteriormente), dos de cuyos capítulos están dedicados a Chile.[42]

Las agencias de las Naciones Unidas que tienen que ver con las reformas del derecho de aguas comparado también han destacado el caso chileno, aunque generalmente desde una perspectiva más crítica que los defensores del modelo. Desde mediados de la década de los noventa, tal como planteo en el capítulo IV, la Comisión Económica para América Latina y el Caribe de las Naciones Unidas ha estado particularmente activa en este sentido, publicando varios análisis críticos del Código de Aguas chileno. Estos análisis han tenido el propósito explícito de contrarrestar los radiantes informes sobre el modelo chileno que han sido puestos en circulación por América Latina.[43]

Una segunda prueba de que el Código de Aguas chileno ha sido considerado un modelo internacional es la variedad de otros países que han estudiado y se han planteado seguir el ejemplo chileno desde comienzos de la década de los noventa, como parte de sus procesos nacionales de discusión de las reformas de las políticas hidrológicas. Solamente en América Latina estos países incluyen los siguientes:

- México, que promulgó su propia nueva legislación de aguas en 1992, incorporando instrumentos de mercado pero de un modo más equilibrado y pragmático que en el modelo chileno.
- Perú, que todavía no ha adoptado un nueva ley de aguas, después de casi diez años de debates políticos esporádicos en los cuales el modelo chileno ha sido prominente.[44]
- Bolivia, donde las recientes «guerras por el agua» respecto de la privatización de los servicios hídricos en Cochabamba también se tradujeron en una nueva legislación de derechos de agua que fue en parte inspirada por el modelo chileno.
- Argentina, particularmente la provincia de Mendoza, justo al otro lado de los Andes de Santiago de Chile, que tiene la mayor área de agricultura de riego de Argentina y su más antigua y sofisticada tradición de legislación de aguas y de gestión de recursos hídricos.
- Nicaragua y El Salvador, que han considerado recientemente promulgar su primera legislación moderna de derechos de agua.

Muchos de estos países se sintieron explícitamente presionados, por parte del Banco Mundial o del Banco Interamericano de Desarrollo, a seguir el modelo chileno. Fuera de América Latina, otros países que han examinado el modelo chileno como parte de su propio reciente proceso de reforma de políticas hidrológicas son Australia, Indonesia, Suráfrica, España, Taiwan y Vietnam.[45]

Hasta ahora, ningún país ha copiado el Código de Aguas chileno, a pesar de que varios de los países nombrados arriba han estado cerca. A finales de la década de los noventa el modelo chileno se había hecho más controvertido en círculos internacionales de políticas hidrológicas, ya que algunos de sus problemas se empezaron a conocer mejor. Muchas personas se han preguntado si tal modelo sería alguna vez aprobado por un gobierno democrático (como no lo fue en Chile). A pesar de todo, el modelo chileno continúa siendo un punto de referencia común en los debates internacionales sobre políticas hidrológicas, y sus partidarios continúan alabando sus ventajas, aunque se han visto obligados a reconocer sus debilidades.

La fama de los mercados de aguas chilenos entre los expertos en aguas internacionales plantea interrogantes cruciales:

- Primero, ¿cuán exitosos han sido estos mercados realmente, en términos de resultados concretos? Ésta es la pregunta que ha atraído más atención internacional con diferencia, tal como describo en el capítulo IV.
- Segundo, ¿cuál es la relación entre los mercados de aguas y otros temas críticos de gestión del agua en Chile? En otras palabras, cualesquiera que sean los resultados de los mercados de aguas chilenos, ¿cuáles han sido las consecuencias de tales medidas legales e institucionales a favor del mercado en el tratamiento de problemas de aguas distintos de los de la asignación de recursos?

La segunda pregunta ha atraído mucha menos atención, a pesar de que desde mi punto de vista es, en última instancia, más importante. En este contexto, la experiencia chilena ofrece una oportunidad única para examinar el tema fundamental sobre los Principios de Dublín que planteé antes: *¿Es el enfoque de libre mercado de reconocer el agua como un bien económico, así como la perspectiva económica estrecha asociada a tal enfoque, compatible con las metas más amplias y de más largo plazo de la gestión integrada de los recursos hídricos?*

Según los partidarios del modelo chileno, la respuesta a esta última pregunta es claramente sí. John Briscoe, del Banco Mundial, por ejemplo, cuyo análisis del cuarto Principio de Dublín fue descrito antes, ha promovido los mercados de aguas chilenos como un ejemplo prominente de «buenas prácticas» en la gestión del agua como un bien económico.[46] Es tan entusiasta respecto al caso chileno que abandona su tono generalmente sobrio y técnico para alabar su mercado de aguas como una «*solución conceptual*

51

brillante al problema duradero de reconciliar la gestión práctica y económica del agua [...]. Ésta es la *genialidad del enfoque del mercado de agua:* garantiza que el usuario va a afrontar los incentivos económicos apropiados» (es decir, costes de oportunidad en vez de los costes del almacenamiento y suministro del agua, que suelen ser la base de los precios del agua). Sostiene que «en cuencas hidrográficas bien reguladas en zonas áridas de Chile, los mercados de aguas funcionan tal como uno quisiera», aun cuando omite mencionar que de hecho existe sólo una cuenca así en todo el país.[47]

Briscoe reconoce que las instituciones de administración de las aguas en el ámbito de las cuencas están ausentes o son inefectivas en Chile, y que los temas de cuencas hidrográficas y los conflictos de aguas presentan desafíos de gran trascendencia. De hecho, describe el caso chileno como «buena práctica» para afrontar los problemas de *escasez* de agua más que de *calidad* de agua. Para la gestión de la calidad él prefiere el modelo francés, que es muy diferente e involucra un nivel de intervención del gobierno que no sería políticamente factible en Chile.[48] En algunas de sus publicaciones, Briscoe califica su alabanza del modelo chileno con comentarios más equilibrados sobre sus limitaciones y problemas, así como sobre los actuales intentos del gobierno chileno por afrontarlos. Aun así, su entusiasmo general por el modelo le lleva a concluir que el «sistema de derechos de agua comerciables y el mercado de aguas asociado *es un gran logro y hay un consenso universal de que es la roca madre sobre la cual se deben refinar las prácticas de gestión del agua».[49] Tal como veremos en el capítulo III, esta misma «roca madre» ha hecho que sea extremadamente difícil llevar a cabo posteriores «refinamientos», y el consenso dentro de Chile dista mucho de ser universal.

Las evaluaciones positivas continúan siendo influyentes en los círculos internacionales de políticas de aguas. En un reciente documento sobre la gobernanza de las aguas para la Global Water Partnership, Peter Rogers y Alan Hall describen el caso chileno como *«un líder mundial en la gobernanza de las aguas».* Reconocen que «se cometieron muchos errores relacionados con la apertura, transparencia, participación y preocupaciones ecosistémicas, debido a las prisas por establecer mercados de aguas efectivos», pero a pesar de todo ellos concluyen que «el sistema es adaptable y ahora estas preocupaciones se están afrontando veinte años después de promulgarse las leyes iniciales».[50] Como Briscoe, sin embargo, el optimismo de Rogers y Hall respecto a las posibilidades de que se corrijan las deficiencias del Código de Aguas está basado en su ignorancia del sistema político y constitucional de Chile. Tal como demostraré más adelante, el sistema no es en absoluto adaptable.

En este libro defiendo que las valoraciones positivas del Código de Aguas chileno son simplistas o equivocadas en varios aspectos cruciales, y, en consecuencia, es engañoso y peligroso presentar el caso chileno como un modelo de éxito, cuyos escasos problemas pueden ser evitados por otros países. A pesar de que el modelo chileno indudablemente tiene algunas ventajas importantes, estas ventajas están estructuralmente ligadas a desventajas que son por lo menos tan importantes como las ventajas y que deberían recibir igual atención. Más allá de los detalles específicos de las ventajas y desventajas del Código de Aguas, la experiencia chilena ofrece lecciones más amplias al demostrar las limitaciones críticas de un enfoque estrecho de la economía del agua y el fracaso de tal enfoque para abordar adecuadamente las medidas legales e institucionales que son esenciales para la gestión integrada de los recursos hídricos.

MERCADOS DE AGUAS Y POLÍTICAS HIDROLÓGICAS EN OTROS PAÍSES

Hay abundante literatura sobre los mercados de aguas en muchos lugares del mundo, aparte del debate específico sobre lo que significa «reconocer el agua como un bien económico». En este libro no ofrezco una revisión exhaustiva de esta literatura, pero unos pocos comentarios generales pueden ser útiles aquí.

El término *mercado de aguas* se utiliza a menudo de forma poco precisa. A pesar de algunas semejanzas generales, los temas y objetivos específicos que implica pueden variar mucho dependiendo del país y la región. Por ejemplo, los mercados de aguas en la India y Pakistán son principalmente para el uso de aguas subterráneas, implican a agricultores campesinos, y funcionan aparte de, y, a menudo, de forma complementaria a, los sistemas de canales para aguas superficiales (que son propiedad de agencias de gobierno y están administrados por estas mismas).[51] Los mercados de aguas en Australia, en contraste, a menudo tienen que ver con ríos interestatales y problemas de calidad de las aguas, incluyendo salinidad y mantenimiento de caudales ambientales.[52] En España, las propuestas para poner en marcha mercados de aguas han sido impulsadas por debates políticos sobre la reducción de los subsidios para el riego y sobre cómo evitar la construcción de nuevas presas y embalses, en el contexto de las políticas agrícolas y ambientales de la Unión Europea. En las islas Canarias, sin embargo, que son parte de España, los mercados de aguas existentes para las aguas subterráneas están fuertemente afectados por diferentes grados de poder de mercado.[53]

El oeste de los Estados Unidos es indudablemente el lugar del mundo donde los mercados de aguas se han estudiado más minuciosamente. En esta región —donde los recursos hídricos son más escasos que en ninguna otra parte del país— los mercados de aguas emergieron como un importante instrumento de política pública y tema político en las décadas de los setenta y ochenta, cuando los Estados Unidos entraron en una «nueva era» de gestión del agua. Durante las décadas previas, los gobiernos nacionales y estatales respondieron a las crecientes demandas de agua construyendo presas y embalses y desarrollando nuevas fuentes de abastecimiento de agua. Desde la década de los setenta, sin embargo, diversas limitaciones financieras y ambientales han obligado a desplazar el interés hacia la reasignación y la protección de los recursos existentes. De ahí que los debates sobre políticas hidrológicas en los Estados Unidos hayan girado en torno a los mismos temas que más recientemente han llegado a dominar el escenario internacional sobre políticas hidrológicas: una mayor preocupación por la eficiencia económica y los incentivos de mercado por un lado, y una mayor preocupación por la gestión integrada de los recursos hídricos, el enfoque de la cuenca como un todo, y la restauración ambiental, por el otro.[54]

A pesar de que muchos de los temas abordados en los debates sobre políticas hidrológicas internacionales son también prominentes en los Estados Unidos, la mayoría de los participantes en los debates en los Estados Unidos no son conscientes de las semejanzas, y los debates han procedido en términos casi enteramente nacionales, con pocas referencias a temas u organizaciones internacionales.[55] Por ejemplo, los Principios de Dublín son casi desconocidos, y el Banco Mundial y las Naciones Unidas no son actores relevantes en los Estados Unidos. Un contraste más importante es que las discusiones y los análisis de mercados de aguas en los Estados Unidos han sido más equilibrados y pragmáticos y menos ideológicos de lo que ha sido a menudo el caso en los contextos internacionales y latinoamericanos. Las perspectivas económicas han sido más amplias, las instituciones reguladoras han sido más fuertes, y las organizaciones no gubernamentales han sido activas e informadas participantes. En consecuencia, se entiende generalmente en los Estados Unidos que los mercados de aguas son una parte importante del contexto más amplio de la gestión del agua, pero no el principio controlador. En Chile, esta visión no es tan ampliamente compartida.

II. El modelo de libre mercado: el Código de Aguas de Chile de 1981

E l Código de Aguas de Chile de 1981 es un ejemplo clásico de lo que en América Latina se suele denominar la ley del péndulo: la tendencia histórica de oscilar de un extremo a otro en asuntos políticos y económicos, sin encontrar un punto de equilibrio en algún lugar intermedio. Antes de 1967, la legislación chilena en materia de agua se caracterizaba por una combinación relativamente equilibrada de regulación pública y derechos de propiedad privada. En 1967 la Ley de Reforma Agraria hizo oscilar el péndulo hacia una autoridad gubernamental significativamente expandida respecto al uso y gestión de las aguas, a expensas de los derechos privados; catorce años después, el gobierno militar osciló el péndulo al extremo opuesto, donde permanece hasta este día.[1]

En términos generales, el Código de Aguas de 1981 fortaleció enormemente los derechos de propiedad privada, aumentó la autonomía privada en el uso de las aguas, y favoreció los mercados libres de derechos de agua hasta un extremo sin precedentes.[2] Por primera vez en la historia de Chile, el nuevo Código de Aguas separó los derechos de agua de la propiedad de la tierra, creó varios mecanismos e incentivos de mercado, y buscó fomentar una mentalidad económica comercial y orientada al mercado entre los usuarios de agua (la inmensa mayoría de los cuales son agricultores). Como corolario, el código redujo drásticamente el papel del gobierno en la gestión, regulación y desarrollo de los recursos hídricos. La filosofía esencial del Código de Aguas es el *laissez faire:* no da un mandato directo ni establece un mercado de derechos de agua, sino que pretende instalar normas legales y requisitos para que tal mercado emerja espontáneamente, como resultado de la iniciativa privada. En todos estos aspectos, el Código de Aguas refleja muy de cerca la estructura legal y los principios ideológicos de la Constitución chilena de 1980, tal como se plantea brevemente más adelante.

En términos legales más específicos, el Código de Aguas declara que los recursos hídricos son propiedad pública y que el gobierno nacional puede otorgar derechos privados a usar esta propiedad. Estos derechos se denominan derechos de aprovechamiento. Las aguas mismas son definidas formalmente como «bienes nacionales de uso público», un término que data de la década de 1850, cuando Chile adoptó su Código Civil, que está todavía vigente. Se refiere a una categoría de propiedad que es de la nación como un todo y cuyo uso pertenece a todos sus habitantes; otros ejemplos incluyen los caminos, calles, puentes, plazas y playas. De acuerdo con la definición del Código Civil, tal propiedad no puede ser enajenada del dominio público o transformarse en el objeto de transacciones legales o comerciales privadas. El gobierno puede otorgar permisos o concesiones a organismos privados para el *uso* exclusivo de tal propiedad, pero históricamente tales derechos de uso eran gobernados por el derecho público (administrativo) y podían ser modificados administrativamente o anulados sin compensación.[3]

A pesar de esta definición legal formal, sin embargo, en realidad el Código de Aguas fortalece la propiedad privada y el control privado de los derechos para usar aguas públicas. Los derechos de agua están ahora legalmente separados de la propiedad de la tierra y se pueden comprar, vender, hipotecar, heredar y transferir libremente como cualquier otro bien raíz. Existe una agencia gubernamental con cierta autoridad sobre los derechos de agua, la Dirección General de Aguas (DGA), a la cual el código exige otorgar todas las solicitudes por nuevos derechos de agua, gratis, siempre que el agua esté física y legalmente disponible. Una vez que estos derechos han sido constituidos, sin embargo, son gobernados por el derecho privado más que por el público (es decir, por el derecho civil más que por el derecho administrativo); esto subraya su condición de bienes comerciales ordinarios y les otorga significativamente más protección respecto de la regulación gubernamental. Los derechos de agua están incluidos en el sistema general de registro de títulos de bienes raíces. Más aún, los derechos de agua están ahora garantizados explícitamente como propiedad privada en la Constitución, tal como se plantea más adelante.[4]

Las libertades privadas son muy amplias y la autoridad gubernamental es severamente restringida, si se compara con legislaciones hídricas chilenas anteriores. Los propietarios de derechos de agua pueden cambiar libremente los tipos o métodos de uso de sus derechos de agua sin aprobación administrativa de la DGA (la única excepción es cuando se trata de cambiar la ubicación de las extracciones desde un canal natural). Los solicitantes de nuevos derechos ya no tienen que especificar o justificar a la DGA los usos que pretenden dar a las aguas, y la agencia no tiene potestad discrecional para negar tales peticiones si el agua está disponible, o para decidir entre demandantes en competencia. El código no establece prioridades legales entre diferentes usos del agua, dejando tales determinaciones a los particulares y al mercado. Si no hay suficiente agua para satisfacer peticiones simultáneas de nuevos derechos, en teoría la DGA debe celebrar una subasta pública y vender los nuevos derechos al mejor postor.

Aparte de dichas subastas, que en la práctica han sido muy escasas, los titulares de derechos de agua no pagan impuestos o tasas de ningún tipo, ya sea por adquirir nuevos derechos del gobierno o por mantener derechos en el tiempo. Más aún, los propietarios no tienen una obligación legal de usar realmente sus derechos de agua, y no afrontan ninguna multa o anulación por falta de uso. La naturaleza incondicional de los derechos de agua privados difiere de todas las legislaciones previas en Chile y también de las leyes de aguas de todos los otros países del mundo.[5] (En los Estados Unidos, por ejemplo, una doctrina legal llamada la doctrina del uso beneficioso exige que los que tienen en sus manos derechos de agua hagan algún «uso beneficioso» de ellos, o se arriesgan a su caducidad; esto se conoce popularmente como la doctrina del «úselo o piérdalo»). El Código de Aguas chileno de 1981 omitió tales obligaciones legales y financieras porque los redactores del código las consideraron restricciones indeseables de los derechos de propiedad privada y de la libertad económica. En su conjunto, estas disposiciones permiten una especulación sin restricciones en derechos de agua, lo que ha sido uno de los aspectos más controvertidos del código, tal como se discute en el capítulo III.[6]

La DGA ahora tiene poca autoridad reguladora sobre el uso privado de las aguas. Casi todas las decisiones sobre el uso y gestión del agua las adoptan los propietarios individuales de derechos de agua o las organizaciones privadas de usuarios de canales, esto es, regantes.* (Estas asociaciones de regantes tienen una larga tradición en Chile en la construcción y gestión de sistemas de canales y en la distribución de las aguas a sus socios agricultores). La DGA no puede anular o restringir los derechos de agua una vez que han sido otorgados o constituidos de alguna otra forma, excepto expropiándolos y pagando por ellos, lo que es extremadamente infrecuente.[7] La agencia también ha perdido su poder para dirimir conflictos entre usuarios de agua; estos conflictos ahora van a los tribunales civiles ordinarios de justicia (Chile no tiene tribunales administrativos especializados).

La DGA conserva varias funciones técnicas y administrativas, tales como recoger y mantener datos hidrológicos; inspeccionar grandes obras hidráulicas, como presas y canales; hacer cumplir las reglas que gobiernan el funcionamiento de las asociaciones de usuarios privados de agua; y mantener los registros oficiales de

---

* La palabra *regante* se ha utilizado en este libro como traducción de los términos *canal user* («canalista» en el español de Chile y «regante» en España) e *irrigator* («regante» tanto en Chile como en España). Se ha mantenido la palabra *canalista* en nombres propios, como la Confederación de Canalistas de Chile.

ciertos derechos de agua. (Estos registros, sin embargo, son muy incompletos: incluyen los derechos otorgados originalmente por la DGA pero no los muchos derechos constituidos en legislaciones anteriores, y tampoco registran las transacciones ocurridas después del otorgamiento original). La agencia puede también preparar estudios, informes, planes y recomendaciones de políticas públicas, pero éstas tienen poca o ninguna fuerza reguladora.

Los principios *laissez faire* del Código de Aguas son especialmente evidentes en el ámbito de la gestión de las cuencas hidrográficas y de la coordinación de usos múltiples del agua. Como la principal preocupación del código era el riego, éste dice muy poco sobre otros usos del agua o sobre cómo coordinarlos. La excepción fue la creación de un nuevo tipo de derecho de propiedad, el derecho de agua no consuntivo, que fue la mayor innovación del Código de Aguas en el ámbito del uso múltiple del recurso. Se pretendía que los derechos de agua no consuntivos estimularan el desarrollo hidroeléctrico en la cordillera y precordillera aguas arriba de las áreas agrícolas, sin perjudicar a los agricultores aguas abajo que tuvieran derechos de agua preexistentes (ahora llamados derechos de agua consuntivos). Tal como sugiere el término, un derecho no consuntivo permite a su propietario desviar agua de un curso y usarla, siempre que el agua sea después devuelta sin alteración a su canal original, para su uso por parte de otros aguas abajo.

Sin embargo, más allá de establecer la existencia de estos derechos de agua no consuntivos, las normas legales que gobiernan su ejercicio y su relación con otros derechos son muy breves y generales. Como resultado, la coordinación de diferentes usos del agua depende de la lógica general del Código de Aguas y de la estructura institucional, más que de disposiciones específicas: en otras palabras, depende de la negociación privada entre los propietarios de derechos de agua más que de la regulación gubernamental, en un proceso respaldado por el teorema de Coase.[8] Estas medidas también reflejan la Constitución chilena, con su modelo general de fuertes derechos económicos privados, limitada regulación estatal y un sistema judicial fuerte, tal como se discute más adelante.

El Código de Aguas reconoce varios tipos de organizaciones privadas de usuarios, pero todas fueron diseñadas exclusivamente para fines de riego: para distribuir agua a los canales y explotaciones agrícolas, no para dirimir conflictos con no regantes. Como la DGA no tiene poder regulador para intervenir en estos asuntos, las tareas de coordinar los usos múltiples del agua y de resolver conflictos de cuencas hidrográficas han sido dejadas al libre mercado, esto es, a la negociación privada entre propietarios. Cuando esta negociación fracasa, el único recurso que queda es ir a los tribunales ordinarios de justicia, a pesar de la falta de conocimientos o de experiencia de los jueces en los temas relativos al agua. Este marco ha sido incapaz de impedir serios conflictos en el ámbito de las cuencas hidrográficas, incluyendo aquellos entre los propietarios de derechos consuntivos y los propietarios de derechos no consuntivos, tal como se discute en el capítulo IV.[9]

Es importante señalar que el Código de Aguas no trata temas de protección ambiental o de la calidad de las aguas. Las cuestiones ambientales no fueron una preocupación pública o política en Chile en la década de los setenta o a comienzos de los años ochenta, y los peligros de la contaminación del agua para la salud pública finalmente fueron abordados por otras legislaciones. En el capítulo III describo brevemente la legislación ambiental actual, que fue promulgada en 1994, en el contexto del debate en evolución sobre la reforma del Código de Aguas. En el capítulo IV examino algunos de los problemas que el gobierno chileno ha abordado desde 1990 al tratar de confrontar los aspectos ambientales de la gestión del agua en el marco del código de 1981.

La Constitución de 1980: cimientos del Código de Aguas

Para entender el marco legal e institucional del Código de Aguas de 1981, es crucial comprender que éste refleja la estructura actual de la Constitución chilena, que fue adoptada en 1980. Esta constitución fue la creación del gobierno militar y de sus asesores civiles. Al igual que el Código de Aguas, fue redactada a finales de los años setenta, sin discusión pública u oposición, en un momento en que el control político absoluto por parte de los militares iba acompañado por el dominio ideológico de los economistas neoliberales del gobierno. La Constitución de 1980 fue trasladada prácticamente intacta a través de la transición de retorno al gobierno democrático en 1990 —los contrarios al régimen militar a mediados de los años ochenta tuvieron que aceptar esta constitución como una condición para que el régimen militar permitiera el retorno a la democracia— y está todavía plenamente vigente hoy.[10]

La Constitución de 1980 es el legado legal e institucional más importante del gobierno militar chileno. Este amplio y ambicioso documento incluye principios económicos y sociales, así como políticos. El objetivo era consolidar e institucionalizar los profundos y radicales cambios impuestos a la sociedad chilena durante más de dieciséis años de dominio militar.[11] La Constitución garantiza el marco legal básico para un modelo económico de libre mercado definiendo derechos de propiedad y libertades económicas de forma muy amplia y restringiendo firmemente la autoridad reguladora de las agencias gubernamentales y del Congreso nacional. Este marco se hace cumplir por medio de un sistema judicial que ahora tiene más poder para revisar y anular acciones administrativas y legislativas. La Constitución también garantiza la continuación de un grado importante de poder político tanto de los militares como de otras fuerzas políticas conservadoras y no elegidas por sufragio.[12]

Ni la Constitución, ni el modelo económico cuyos fundamentos institucionales ésta concretiza, pueden ser corregidos hoy sin el acuerdo pleno de esas fuerzas políticas conservadoras. Durante la década de los noventa tuvieron lugar repetidos pero fracasados intentos de forjar tal acuerdo para profundizar la democratización de la Constitución, y desde finales de los años noventa el equilibrio político se ha inclinado aún más hacia la derecha. Cualquier reforma aprobada en el futuro cercano probablemente va a ser marginal y no afectará a los temas económicos y reguladores examinados en este libro.

Debe tenerse en cuenta el contexto constitucional y político cuando se analizan los debates sobre la reforma del Código de Aguas que se dieron en los años noventa, tal como se examina en el capítulo III. Dado que los derechos de agua están explícitamente protegidos por la sección de la Constitución sobre derechos de propiedad, la definición de los derechos de agua no puede ser alterada, salvo por una enmienda constitucional o por una interpretación legal que tenga amplio apoyo político. Es más, el poder aumentado de los tribunales, que emana de la Constitución más que del Código de Aguas, tiene importantes consecuencias para resolver conflictos de aguas y para las medidas institucionales relacionadas con la gestión integrada de los recursos hídricos, tal como se expone en el capítulo IV.

«Historia legislativa» y trasfondo político

Es imposible comprender en su totalidad el Código de Aguas de 1981 o los temas de derechos de agua subsiguientes en Chile sin tener algún conocimiento del pasado histórico reciente. Esto es especialmente cierto a causa de la ley del péndulo; en otras palabras, para entender el actual Código de Aguas debemos conocer contra qué estaban reaccionando sus redactores. En el resto de este capítulo, por lo tanto, resumiré brevemente los dos códigos de agua de Chile previos (promulgados en 1951 y 1967), para centrarme después en el período desde 1976 hasta 1981, que corresponde a la «historia legislativa» del código de 1981.

Escribo *historia legislativa* entre comillas porque el Código de Aguas fue escrito durante un gobierno militar autoritario que había cerrado el Congreso nacional y las otras instituciones políticas democráticas varios años antes, lo que hacía imposible un proceso legislativo democrático propiamente dicho. El gobierno militar se apoyó fuertemente en asesores civiles y solicitó las opiniones de aliados políticos civiles y de grupos de interés en muchas áreas de legislación y de políticas públicas, y los derechos de agua no fueron la excepción. Sin embargo, en esa época las discusiones internas del gobierno y los procesos de toma de decisiones se realizaron generalmente a puerta cerrada, ocultas al debate ciudadano, y es difícil reconstruir lo sucedido. Por eso mi objetivo aquí es destacar las preocupaciones de las personas dentro del gobierno que redactaron el Código de Aguas a finales de la década de los setenta, así como los factores políticos y económicos que conformaron el código tal como emergió finalmente en 1981. Este análisis se sustenta en entrevistas con muchas personas involucradas en el proceso, así como en documentos gubernamentales contemporáneos, artículos de prensa y otras publicaciones.[13]

Esta historia legislativa es poco conocida, salvo para unos pocos expertos chilenos, y tiene una relevancia que va más allá de lo académico. En primer lugar, tal como veremos más adelante en este libro, algunos de los temas y argumentos dominantes en los debates sobre la reforma del Código de Aguas durante la década de los noventa son ecos exactos de los debates previos en el gobierno militar. Pocas personas en Chile, y casi ninguna fuera de Chile, son conscientes de esto. El resultado es que aspectos cruciales de los debates actuales parecen ser ejercicios de futilidad. Esto es o bien una ironía no intencionada, o una astuta estrategia política (o quizás ambas) de los contrarios a la reforma.

En segundo lugar, las decisiones políticas específicas sobre las normas legales y los incentivos económicos, que fueron adoptadas en 1981, han tenido un gran impacto en la actuación subsiguiente de los mercados de aguas chilenos, al determinar las medidas institucionales relevantes. La mayoría de los análisis de estos mercados, sin embargo, simplemente han tomado estas decisiones políticas y normas legales por descontado, tal como se explica en el capítulo IV. De ahí que un recordatorio de cómo se llegó a estas decisiones, y de las alternativas que existían, sea un paso necesario para estimular la realización de más investigación económica institucional e interdisciplinaria.

EL PRIMER CÓDIGO DE AGUAS DE CHILE (1951): DERECHOS PRIVADOS MÁS UN GOBIERNO FUERTE

El primer Código de Aguas chileno, promulgado en 1951, había colocado el péndulo en una posición central, estableciendo una combinación equilibrada de derechos privados y regulación pública.[14] En la mayor parte de sus aspectos el código de 1951 se asemeja significativamente a la legislación contemporánea de derechos de agua que existe en el oeste de los Estados Unidos.[15] Este código sistematizaba las reglas y prácticas chilenas tradicionales concernientes a los derechos de agua, que se remontaban a décadas y en algunos casos a siglos, mientras que aumentaba la intervención gubernamental. Este papel gubernamental más importante reflejaba el contexto político y económico de la América Latina contemporánea, donde un estado fuerte y activo era considerado necesario para fomentar el desarrollo económico nacional. Varias de las principales características del Código de Aguas de 1951 continúan resonando en los debates chilenos sobre políticas hidrológicas.

Del mismo modo que el actual Código de Aguas, el código de 1951 establecía una doctrina legal y un procedimiento administrativo formal para el otorgamiento de derechos privados para el uso de las aguas que eran de propiedad pública, y estos derechos de uso eran tratados y protegidos como propiedad privada más que como concesiones o permisos administrativos. Los derechos de agua otorgados eran registrados en las oficinas de los Conservadores de Bienes Raíces, que también registraban cualquier cambio subsiguiente de la propiedad. El código de 1951 también declaró el establecimiento de una agencia centralizada para la administración de los derechos de agua en el Ministerio de Obras Públicas. (De hecho, la Dirección General de Aguas no fue creada hasta 1969; hasta entonces, las funciones de la DGA eran realizadas por otras agencias en el mismo ministerio, bajo cuyo techo se encontraban los programas de riego del gobierno).

En otros aspectos el Código de Aguas de 1951 era bastante diferente del código actual. Fortalecía la autoridad administrativa e imponía condiciones legales significativas a los derechos privados.[16] Lo que es más importante, la DGA podía anular los derechos de agua si sus propietarios no los usaban por un período de cinco años. Los solicitantes de nuevos derechos de agua tenían que especificar el uso pretendido, así como describir las obras físicas que serían necesarias. A tales solicitantes, la DGA les otorgaba derechos provisorios, que se hacían definitivos sólo ante pruebas posteriores de que las obras habían sido completadas y que el agua había sido puesta en uso. Si había solicitantes que competían por nuevos derechos a las mismas aguas, la DGA seguía un orden de preferencia legislado entre diferentes usos: primero, agua potable y uso doméstico; después, riego, hidroelectricidad y otros fines industriales. A los titulares de derechos no se les permitía cambiar los usos específicos para los cuales sus derechos habían sido otorgados; en vez de eso, tenían que devolver sus derechos al gobierno y solicitar un nuevo derecho para el nuevo uso. Por último, los derechos de agua estaban legalmente amarrados a la propiedad de la tierra y no podían ser transferidos separadamente. En breve, el código de 1951 no hizo ningún esfuerzo para estimular una lógica económica de libre mercado.

EL SEGUNDO CÓDIGO DE AGUAS DE CHILE (1967): OSCILANDO A LA IZQUIERDA HACIA EL CONTROL CENTRALIZADO

El segundo Código de Aguas chileno osciló el péndulo hacia un control gubernamental expandido y fue el extremo ante el cual reaccionaría más tarde el Código de Aguas de 1981.[17] Este segundo código fue el resultado de la controvertida Ley de Reforma Agraria de 1967, que fue promulgada por el gobierno de Eduardo Frei Montalva y su partido político, la Democracia Cristiana. La década de los sesenta, desde luego, fue el momento más álgido en términos de los intentos de gobiernos centralizados por lograr reformas sociales y económicas en América Latina. La Reforma Agraria chilena apuntaba a expropiar y redistribuir grandes propiedades de tierras, con el doble propósito de expandir la clase de los pequeños propietarios de tierras y de modernizar la producción agrícola.[18]

En un país cuya agricultura depende del riego, la reforma en la tenencia de la tierra también exige redistribuir el agua, y, por lo tanto, la Reforma Agraria incluyó una sección sobre derechos de agua que fue más tarde publicada separadamente como un nuevo código de aguas.[19] Con el fin de lograr dos objetivos principales —facilitar la redistribución de la tierra y aumentar la eficiencia del uso agrícola del agua—, el código favoreció una administración gubernamental centralizada en lugar de la iniciativa privada. En consecuencia, la DGA fue finalmente establecida en 1969, después de haber sido legalmente autorizada en el Código de Aguas de 1951.

El Código de Aguas de 1967, al igual que su pariente, la Reforma Agraria, exigía una enmienda a la cláusula de propiedad de la Constitución existente (de 1925). La enmienda constitucional de 1967 expandió el rango de la llamada función social de la propiedad y de este modo restringió el rango de los derechos de propiedad privada. A pesar de que esto ciertamente reflejaba las posturas ideológicas de los reformistas, el objetivo más inmediato era permitir al gobierno expropiar tierras privadas al tiempo que postergaba el pago de las compensaciones requeridas, pagando a los propietarios con bonos gubernamentales de largo plazo en vez de en efectivo. (Dado que Chile tuvo alta inflación en esa época, así como durante buena parte del siglo XX, dichos bonos perdieron la mayor parte de su valor en el curso de unos pocos años). La enmienda de 1967 también declaró *todas* las aguas de la nación como «bienes nacionales de uso público», incluyendo las aguas que habían sido consideradas privadas desde el Código Civil de 1855: cursos de agua y lagos contenidos dentro de una sola propiedad de tierras y, lo que es más importante, las aguas que fluyen por cauces «artificiales», es decir, canales. En breve, la enmienda permitió la expropiación sin compensación de todos los derechos de agua privados.[20]

A pesar de que los derechos de agua siguieron denominándose «derechos de aprovechamiento», perdieron su estatus legal como derechos de propiedad y revirtieron a concesiones meramente administrativas, gobernados por el derecho administrativo en lugar del civil. Éstos no se podían comprar, vender o comercializar privadamente, ni separarse de las tierras a las cuales habían sido asignados salvo con una aprobación administrativa de la DGA (que casi nunca se otorgaba). Como resultado, los derechos de agua ya no eran registrados como títulos de bienes raíces, y no existían registros de ninguna transacción subsiguiente, que, después de todo, eran ilegales bajo este código. La falta de registros llevaría, a finales de la década de los setenta, a una seria confusión e incertidumbre respecto a los títulos de los derechos de agua, incertidumbre que hasta cierto punto persiste hasta el día de hoy.

Las potestades reguladoras del gobierno eran extensivas bajo el Código de Aguas de 1967. Este código tenía el ambicioso objetivo de redistribuir los derechos de agua de acuerdo con nuevos «estándares de uso racional y beneficioso» de tipo técnico. Los científicos y técnicos del gobierno establecerían las cantidades de agua necesarias para diferentes cultivos en diferentes condiciones agronómicas y geográficas. Los derechos de agua serían entonces asignados o reasignados a terrenos particulares de acuerdo con los estándares locales de uso. Este sistema de derechos de agua estaba, desde luego, estrechamente ligado a patrones particulares de uso y cultivo de tierras agrícolas, que estaban justamente en el proceso de ser alterados por la planificación gubernamental como parte de la Reforma Agraria.

En cuanto a las cuencas hidrográficas, el gobierno tenía autoridad para declarar ciertas cuencas como «áreas de racionalización del uso del agua», incluyendo usos no agrícolas. Dentro de estas áreas el gobierno podía reasignar los derechos de agua de acuerdo con los estándares técnicos de uso y otros criterios de planificación. Además, a la DGA se le dio poder adjudicador respecto de los conflictos por el uso de las aguas, y el papel de las cortes fue significativamente reducido.

Un modelo tecnocrático de administración de derechos de agua de esta índole exigía un alto grado de capacidad institucional y de recursos institucionales, y habría sido muy difícil de llevar a cabo incluso en circunstancias favorables. En Chile, sin embargo, los años posteriores a 1967 fueron cada vez más inestables, especialmente después de la elección del presidente Salvador Allende y de su coalición de partidos de izquierda, la Unidad Popular, en 1970. La polarización social y política que empeoraba gradualmente, tanto en torno al proceso de la Reforma Agraria como en otros sectores de la economía, culminó en el golpe militar del 11 de septiembre de 1973.[21]

DERECHOS DE AGUA DESPUÉS DEL GOLPE MILITAR DE 1973: CONFUSIÓN Y DESATENCIÓN

Durante el período posterior al golpe, el gobierno militar puso fin a la expropiación de tierras y revirtió la Reforma Agraria. Entre mediados y finales de los años setenta, el régimen adoptó una serie de políticas que «normalizaban» el sector agrícola, en concordancia con el nuevo modelo económico de mercados libres y de fuertes derechos de propiedad que se estaba poniendo en marcha entonces. Estas políticas incluían confirmar y fortalecer los títulos privados a las tierras expropiadas, fomentar un mercado de tierras agrícolas, y reducir el papel gubernamental en la producción y comercialización agrícola. Una proporción relativamente pequeña de las tierras expropiadas fue devuelta a sus anteriores propietarios. En lugar de eso, el régimen aprovechó la oportunidad para modernizar el sector agrícola vendiendo gran parte de las tierras fiscales a compradores privados y subdividiendo una cantidad significativa en pequeñas parcelas y transfiriéndoselas a un selecto grupo de campesinos agrícolas, conocidos como parceleros (muchos de los cuales posteriormente revendieron sus parcelas en el mercado de tierras).[22]

A lo largo de este proceso, sin embargo, el gobierno militar prácticamente no tocó los derechos de agua y el Código de Aguas de 1967 durante más de cinco años: eran prioridades secundarias en el contexto más amplio. Como resultado, a finales de los años setenta la situación del país respecto de los derechos de agua era un desorden. Chile seguía teniendo unas leyes de aguas altamente centradas en el estado, incompatibles con el nuevo modelo económico del país. La inseguridad legal de los derechos de agua privados desincentivaba la inversión privada en el uso o gestión de las aguas, y la rigidez del Código de Aguas impedía las transferencias de agua a usos más valiosos. Los títulos de derechos de agua y sus transacciones eran especialmente inciertos, dado que no habían sido registrados desde 1967.

INCLINACIONES NEOLIBERALES (1976-1981): PROPIEDAD PRIVADA Y MERCADOS LIBRES

El resumen anterior explica por qué la reforma de los derechos de agua fue necesaria en Chile en la segunda mitad de la década de los setenta, pero no quedaba claro cómo sería exactamente esta reforma. Existía un consenso amplio dentro del gobierno militar, y entre sus asesores y partidarios civiles, respecto a que los derechos de agua necesitaban mayor protección legal como propiedad privada. Sin embargo, existía un fuerte, y a veces amargo, desacuerdo respecto a si tal reforma debía ser diseñada en la imagen del libre mercado y si ésta exigía una drástica reducción de la regulación y del gasto gubernamental.

Los desacuerdos se daban en dos niveles: entre diferentes puntos de vista políticos e ideológicos, por un lado, y entre diferentes puntos de vista disciplinarios y profesionales por el otro. En primer lugar, el conflicto respecto a los derechos de agua era solamente una pequeña parte de la lucha política e ideológica más general dentro del gobierno entre los neoliberales (la mayoría economistas) y los conservadores más tradicionales. Muchos de los neoliberales eran conocidos como los *Chicago boys* debido a su formación profesional en economía en la Universidad de Chicago, que era conocida por su postura favorable al libre mercado.[23]

En segundo lugar, el conflicto reflejaba las contrastantes perspectivas de los economistas, abogados e ingenieros. En Chile, históricamente los ingenieros han sido los profesionales con mayor conocimiento y experiencia en el uso del agua y los derechos de agua (junto con los regantes mismos, por supuesto), seguidos por un pequeño número de abogados. Los economistas, en contraste, prácticamente no desempeñaron ningún papel en políticas y gestión de aguas antes de los años setenta. Sin embargo, a pesar de su falta de experiencia en temas hídricos, los economistas terminaron siendo la influencia predominante en el proceso de reforma y en el Código de Aguas resultante.

La Comisión Constituyente (1976): propiedad privada pero sin libre mercado

La posición más conservadora dominó las primeras discusiones. A comienzos de 1976, la Comisión de Estudio de la Nueva Constitución del régimen militar (también llamada Comisión Constituyente) tomó el tema de los derechos de agua como parte de su consideración más general de los derechos de propiedad.[24] Los miembros de la Comisión, todos abogados civiles, tuvieron algunas dudas iniciales respecto a si se le debería dar rango constitucional a una materia tan técnica como los derechos de agua. Sin embargo, a causa de los problemas de aguas en el sector agrícola, decidieron incluir una breve declaración de principios a favor de la propiedad privada como un primer paso hacia una mayor seguridad legal. Dejaron la mayor parte del Código de Aguas de 1967 vigente hasta que éste pudiera ser reemplazado por una legislación más sistemática.

Aconsejados por prominentes ingenieros de riego, los miembros de la Comisión Constituyente esencialmente abogaron por un retorno al Código de Aguas de 1951, combinando los derechos privados y la regulación gubernamental. Su principal argumento era que la inseguridad legal de los derechos de agua con el código de 1967 había eliminado los incentivos privados para construir y mantener los canales de riego. Se decía que estos canales estaban deteriorándose en todo el país, y que las asociaciones privadas de regantes estaban en declive por la misma razón. El fortalecimiento de los derechos de agua, creían los miembros de la comisión, estimularía la inversión privada en obras para el riego y revitalizaría las asociaciones de regantes.

La posición de los miembros de la comisión, sin embargo, distaba mucho de ser favorable al mercado. La mayoría de ellos destacaban los aspectos públicos y las obligaciones en torno al uso del agua, y rechazaban una propuesta para permitir que los derechos de agua fueran vendidos separadamente de la tierra como incentivo para aumentar la eficiencia en el uso del agua. Concluyeron que tales transacciones deberían ser restringidas a ciertas situaciones específicas y cuidadosamente reguladas por ley.

Finalmente, la Comisión Constituyente acordó la siguiente declaración, que fue incluida en la Constitución de 1980: «Los derechos de los particulares sobre las aguas, reconocidos o constituidos en conformidad a la ley, otorgarán a sus titulares la propiedad sobre ellos».[25] Nótese que es la propiedad sobre los *derechos,* no sobre las aguas mismas, lo que es protegido constitucionalmente, siguiendo la distinción legal mencionada en el resumen del Código de Aguas de 1981 al comienzo de este capítulo. Nótese también que esta declaración protege derechos que datan de legislaciones previas. La comisión deliberadamente rechazó el uso del término existente, «derecho de aprovechamiento», debido a sus connotaciones de propiedad y administración pública, aunque el término reaparecería más tarde en el Código de Aguas de 1981.

Sin embargo, cuando la junta militar dictó su Acta Constitucional 3 seis meses más tarde, en septiembre de 1976, omitió la declaración propuesta por la comisión y dijo solamente que «un estatuto especial regulará todo lo concerniente a la propiedad minera y al dominio de las aguas».[26] Mientras tanto, el Código de Aguas de 1967 permaneció vigente. La razón por la cual la declaración más sustantiva fue abandonada no está del todo clara, pero parece que los miembros de la junta y su *staff* militar tenían algunas dudas sobre la naturaleza ambigua de la propiedad de las aguas, en particular sobre si el agua podía ser propiedad del gobierno solamente o también de individuos privados.

Menos de dos semanas antes de la publicación del Acta Constitucional 3, el presidente de la Comisión de Estudio de la Nueva Constitución, Enrique Ortúzar, y su figura más influyente, Jaime Guzmán, se reunieron con la junta para abogar por la declaración propuesta. El secretario legislativo de la junta, un abogado militar, sostuvo que las aguas deberían permanecer bajo dominio público. Ortúzar estuvo de acuerdo en teoría, pero dijo que la idea era aumentar la seguridad legal de los derechos de uso tratándolos en los hechos como derechos de propiedad. No parece que fuera persuasivo: la declaración de la comisión permaneció archivada durante casi tres años.[27]

Decreto Ley 2603 (1979): oscilando a la derecha hacia el libre mercado

Una posición más neoliberal se hizo dominante en 1979, cuando los *Chicago boys* habían llegado a controlar la mayor parte de los aspectos de las políticas económicas y sociales del régimen.[28] En abril de 1979, el régimen dictó el Decreto Ley 2603, fuertemente favorable al mercado y su primera legislación sustantiva respecto de los derechos de agua, que instaló los cimientos para el nuevo Código de Aguas de dos años más tarde. A pesar de que este Decreto Ley derogó elementos fundamentales del Código de Aguas de 1967, dejó, sin embargo, el grueso de ese código intacto hasta que una ley enteramente nueva pudiera ser promulgada.[29]

Sumadas a las fuertes corrientes ideológicas, dos temas de política pública impulsaron esta legislación. En primer lugar, a finales de los años setenta, la necesidad de aclarar la confusa situación nacional respecto de los derechos de agua había llegado a ser una prioridad. Tal como se ha señalado anteriormente, el gobierno militar había completado su contrarreforma agraria, la tierra que había sido expropiada antes del golpe ahora se había vendido o transferido a propietarios privados, y el Código de Aguas de 1967 era incompatible con el cada vez más activo mercado privado de tierras. Muchas personas alegaban que los derechos de agua tenían que ser privatizados para impedir futuros intentos de reforma de la tenencia de la tierra: la preocupación principal era que algún futuro gobierno podría tratar de intervenir indirectamente en la tenencia de la tierra, a través del control y reasignación de los derechos de agua.

En segundo lugar, el equipo económico neoliberal del gobierno estaba resistiendo la presión de intereses agrícolas a los que les interesaba que éste volviera a su papel histórico en el desarrollo del riego: reparar presas y canales deteriorados y construir nuevos proyectos que pusieran reservas de agua adicionales a disposición de los usuarios.[30] Los neoliberales habían criticado estas políticas de riego anteriores como un ejemplo clásico de la ineficiencia económica de la acción gubernamental, y como resultado, el gobierno militar había reducido drásticamente el gasto en proyectos de riego. Al oponerse a un papel fuerte del gobierno en el riego, los neoliberales atribuían los problemas de escasez hídrica del país al nivel generalmente bajo de la eficiencia del riego y al predominio de usos del agua de bajo valor. Ellos echaban la culpa de ambos fenómenos a la lógica centrada en el estado y antimercado del Código de Aguas de 1967. Como solución alternativa, buscaron crear incentivos económicos para la inversión privada en construcción y mantenimiento de obras de riego.

El Decreto Ley 2603 fortaleció los derechos de propiedad privada de las aguas enmendando el Acta Constitucional 3 para que estuviera redactada como la Comisión Constituyente había sugerido originalmente: «Los derechos de los particulares sobre las aguas, reconocidos o constituidos de conformidad con la ley, otorgarán a sus titulares la propiedad sobre ellos». (Esta disposición fue entonces repetida un año más tarde en la nueva constitución). El Decreto Ley separó los derechos de agua de la propiedad de la tierra por primera vez en la historia de Chile y permitió que éstos fueran vendidos y comprados libremente. Restableció el sistema de registro de los derechos de agua en los conservadores de bienes raíces y exigió que todas las transacciones también fueran consignadas en estos registros. La nueva ley no hizo explícitamente de los derechos un bien comerciable, pero lo hizo implícitamente al exigir que las transacciones fueran registradas. El Decreto Ley también trató de «regularizar» la incertidumbre de los derechos de agua existentes declarando una presunción de propiedad a favor de aquellos que estaban en ese momento usando derechos de agua *de facto* (artículo 7) y proponiendo realizar subastas públicas para todos los derechos expirados o anulados.

Una innovación de gran importancia en la nueva ley estableció que los derechos de agua iban a ser sujetos a impuestos como cualquier otro bien raíz. La idea era que el agua y la tierra fueran valoradas y sujetas a impuestos de forma separada, de manera que el total no excediera los impuestos pagados previamente por las tierras regadas. Con el sistema existente, los derechos de agua eran sujetos a impuestos sólo indirectamente a través de los impuestos a la tierra, ya que las tierras regadas eran mucho más valiosas que las tierras sin irrigación.

Los economistas del gobierno argumentaron que este conjunto de políticas iba a fomentar la eficiencia económica así como la conservación de las aguas, al alentar a los propietarios de derechos de agua a percibir ésta como una mercancía y un bien económico más que como un atributo gratuito (o por lo menos sin precio) de la tenencia de la tierra. Los economistas además sostenían que la eficiencia en el uso del agua sólo mejoraría si el agua tenía un coste económico real, reflejado en precios más altos, y si los derechos se definían como privados, exclusivos y transferibles. Con precios del agua más altos y con la libertad de vender los derechos de agua separadamente de la tierra, los titulares de derechos tendrían un incentivo económico para invertir en mejores tecnologías de riego y una mejor gestión, dado que podían entonces vender los derechos al agua ahorrada. El impuesto anual a los derechos sería entonces un incentivo adicional para que los titulares de derechos vendieran cualquier caudal de aguas no utilizado o excedente para reducir de esta manera su carga tributaria.

Por último, a pesar de que la ley estaba dirigida principalmente al sector agrícola, sus redactores también esperaban alentar las transferencias intersectoriales. En otras palabras, pretendían mejorar la eficiencia del riego de tal modo que los excedentes de agua pudieran ser transferidos a usos de mayor valor, tanto en el sector agrícola como en el urbano e industrial, cuyas demandas de agua iban en aumento.[31]

La lógica de libre mercado del Decreto Ley 2603 fue ferozmente debatida dentro del gobierno, lo que hizo que sus disposiciones fueran algo diluidas. La versión original del Decreto Ley había sido aún más favorable al mercado, con una arrasadora retórica respecto a los beneficios que resultarían de la total mercantilización de los derechos de agua y una declaración que explícitamente establecía que los derechos de agua eran plenamente enajenables y que permitía que sus usos fueran libremente modificados. En esta versión se proponía asignar todos los derechos de agua disponibles por medio de subastas públicas, tanto los derechos de agua existentes que habían sido anulados, como también los derechos futuros.[32] En una reunión con la junta en febrero de 1979, dos miembros neoliberales del gabinete —Miguel Kast, ministro de Planificación Nacional, y Alfonso Márquez de la Plata, ministro de Agricultura— citaron los problemas causados por el Código de Aguas de 1967 y defendieron la lógica de mercado de la ley propuesta. Los dos ministros destacaron que, además de la privatización de los derechos de agua, los impuestos separados al agua eran el mecanismo crucial del nuevo sistema; esto le daría al agua su verdadero coste y crearía el incentivo para un uso eficiente.[33]

Pero varios abogados militares presentes estaban preocupados respecto a la propiedad privada del agua, y advirtieron de que ni el estatus de propiedad de los derechos de uso ni la validez del término *derecho de aprovechamiento* quedaba claro. A pesar de que la junta provisionalmente aprobó la redacción de la ley, pendiente de la aclaración de estas dudas,[34] a la versión que fue finalmente publicada dos meses más tarde le faltaba el fuerte lenguaje promercado. El Decreto Ley dejó de lado la arrasadora declaración sobre la lógica de libre mercado y sobre la total mercantilización de los derechos de agua, y se refirió más modestamente a la «necesidad nacional de iniciar el proceso de normalización de todo lo referente a las aguas y sus diferentes formas de uso beneficioso», de acuerdo con los principios económicos generales del régimen. En vez de subastas de los derechos de agua tanto anulados como nuevos, la ley estableció solamente lo primero.[35]

Los argumentos neoliberales también despertaron la oposición de la mayoría de los expertos de agua chilenos, que eran mayoritariamente ingenieros, abogados y regantes en lugar de economistas. A pesar de que sus posturas políticas eran generalmente conservadoras —muchos eran civiles que trabajaban para el gobierno militar—, la formación profesional y la experiencia de estos expertos les llevó a dar más importancia a los varios aspectos públicos de los recursos hídricos que los economistas.

La principal oposición política, sin embargo, provino del sector agrícola. El riego, después de todo, era con diferencia el mayor uso de agua del país. Con la Reforma Agraria todavía fresca en sus mentes, los agricultores y terratenientes estaban mucho más preocupados por los derechos de propiedad privada que por la eficiencia o los incentivos del mercado. Los grupos de interés más importantes del sector agrícola apoyaron el nuevo Decreto Ley como parte de un proceso general de modernización nacional, pero le bajaron el perfil a sus características de mercado. Por ejemplo, en 1979 tanto la Sociedad Nacional de Agricultura como la Confederación de Canalistas de Chile se hicieron eco del argumento que había hecho tres años antes la Comisión Constituyente: que unos derechos de propiedad más seguros estimularían la inversión privada en el uso del agua. A pesar de que en principio estas organizaciones apoyaban la libertad para cambiar los usos del agua y para transferir derechos de agua sin la interferencia del gobierno, en la práctica esperaban pocas transacciones y escasas reasignaciones.[36] Esto refleja la postura política general de estos grupos de interés durante los últimos años de las décadas de los setenta y ochenta: políticamente leales al gobierno militar, sin embargo objetaron el impacto negativo de las políticas económicas neoliberales en la agricultura.

La falta de interés de los agricultores en los mercados de agua fue subrayada cuando el nuevo Código de Aguas fue publicado en octubre de 1981. El presidente de la Confederación de Canalistas nuevamente alabó la garantía de la seguridad de la propiedad, pero dudaba de que se fuera a dar mucho comercio de derechos de agua. Las transacciones de mercado, dijo, «probablemente no desempeñarán un papel importante, puesto que la gran mayoría de los derechos de agua ya han sido otorgados. Quizás éstas sean relevantes en ríos más vírgenes». Se evidenció que él no comprendía, o no estaba de acuerdo con, el objetivo de los economistas de reasignar los recursos hídricos existentes. Tampoco estaba seguro de cómo los incentivos de mercado podrían funcionar en la práctica. En vez de invertir en tecnología más eficiente para vender el agua ahorrada, pensó que los regantes podrían vender los derechos de agua primero para poder financiar tales inversiones.[37]

LA VERSIÓN FINAL (1981): SOLUCIÓN INTERMEDIA Y PROBLEMAS PARA UNA FUTURA REFORMA

El Código de Aguas que fue finalmente promulgado en octubre de 1981, más de dos años después de que el Decreto Ley 2603 hubiera sentado las bases para aquél, fue un compromiso entre los economistas neoliberales y los conservadores menos orientados al mercado. Los neoliberales obtuvieron la mayor parte de lo que querían: un marco legal *laissez faire* que permitía las transacciones privadas de mercado, y ajustadas restricciones del gasto y de la regulación gubernamental en el sector hídrico.

Tanto la influencia de los neoliberales como la estrecha conexión entre la reforma de los derechos de agua y de la política de riego del gobierno, se reflejaron en el estatuto que acompañaba al nuevo Código de Aguas, una ley promulgada al mismo tiempo que establecía las normas legales y presupuestarias para la financiación de nuevas obras de riego del gobierno.[38] Estas normas eran tan exigentes que ningún proyecto público de riego nuevo fue aprobado durante el resto del tiempo que duró el gobierno militar. (El gobierno, sin embargo, estuvo de acuerdo en subsidiar proyectos privados de riego pequeños y medianos, promulgando una ley separada en 1985 ante la solicitud de la Sociedad Nacional de Agricultura y de la Confederación de Canalistas de Chile. Esta ley fue una aceptación tácita de que los incentivos de mercado del Código de Aguas no habían funcionado tal como se esperaba en estimular la inversión privada o la conservación de las aguas, a pesar de que el gobierno se desentendió de esta implicación).[39]

Sin embargo, los neoliberales tuvieron que renunciar a las normas legales y a las disposiciones financieras que habrían elevado el coste y el precio de las aguas, medidas que en su opinión eran incentivos cruciales para la disciplina y eficiencia del mercado. El código de 1981 abandonó el sistema propuesto de impuestos a los derechos de agua y no impuso ningún otro tipo de tasas, ya fuese para adquirir nuevos derechos de agua de parte del gobierno o para conservar derechos en el tiempo. Además, el código exigió subastas públicas para una categoría significativamente más pequeña de derechos de agua de lo que había sido propuesto anteriormente: no se realizarían subastas para todos los nuevos derechos o para los derechos anulados, sino solamente cuando hubiera dos o más solicitudes simultáneas para los mismos derechos nuevos. Estas subastas han resultado ser muy escasas.

El establecimiento de algún tipo de impuesto o tarifa fue bloqueado principalmente por el sector agrícola, que, como el usuario de agua predominante, fue el más afectado por la nueva ley. La mayoría de los agricultores estaban sufriendo problemas financieros después de años de doloroso ajuste al modelo económico de libre mercado, y no se podían dar el lujo de (o simplemente se negaban a) empezar a pagar por un recurso que siempre había sido gratuito. Evidentemente, no estaban convencidos por el argumento neoliberal en el sentido de que la cantidad total de impuestos a la tierra y el agua no aumentaría una vez que los pagos fueran separados.

Existían también objeciones prácticas y administrativas respecto a un sistema de impuestos o tarifas. Dada la altamente diversa geografía de Chile y la incertidumbre legal y técnica de muchos títulos de derechos de agua, la tarea para determinar las tarifas apropiadas para propietarios de derechos de agua de todo el país y para hacer cumplir su cobro sería difícil en términos tanto técnicos como administrativos, y políticamente impopular.[40]

De ahí que los neoliberales tuvieran que contentarse con un esquema orientado al mercado que dependía de señales de precios e incentivos mucho más débiles de lo que ellos habían luchado por lograr. A pesar de que habrían preferido un sistema de impuestos a los derechos de agua para cambiar la mentalidad económica de los usuarios e inducir el comercio de derechos, esperaban que con un marco legal permisivo existirían suficientes transacciones voluntarias como para que un mercado terminara tomando forma. Los neoliberales estaban menos preocupados de perder las tasas por el otorgamiento de nuevos derechos, dado que su principal objetivo era limitar la discrecionalidad administrativa y transferir la propiedad del sector público a manos privadas. Veinte años después, estos temas y argumentos están todavía en el centro de los debates sobre políticas hidrológicas en Chile, tal como veremos en el próximo capítulo.

En conclusión, el Código de Aguas de 1981 reflejó la tensión política más profunda dentro del gobierno militar entre los neoliberales y un conjunto de otros conservadores. Las dos partes en general estuvieron de acuerdo en fortalecer los derechos de propiedad privada y en debilitar la regulación gubernamental, pero chocaron en el tema de la aplicación plena de la lógica de libre mercado. El desacuerdo puso de relieve sus diferentes maneras de concebir la naturaleza y los fines de la propiedad privada. Los neoliberales veían los derechos de propiedad como mercancías, la base para la negociación privada y las transacciones de mercado que llevarían a una mayor eficiencia económica. Sus adversarios conservadores, por el otro lado, incluyendo la gran mayoría de los regantes y usuarios de agua, querían autonomía privada y seguridad legal como fines en sí mismos, pero estaban mucho menos interesados en la plena mercantilización de los derechos de agua, y no compartían la meta de terminar con los subsidios gubernamentales. Esta distinción fundamental a menudo se pierde en los debates políticos y sobre políticas públicas, tanto en Chile como en otros lugares, en los que la defensa de los derechos de propiedad que hacen los grupos de interés del sector agrícola a menudo se confunde con una defensa del libre mercado. Desde luego, muchas personas difuminan esta distinción deliberadamente por razones de estrategia política.

La historia del Código de Aguas también demuestra una de las premisas básicas de la economía institucional, tal como se planteó en el capítulo I: las normas e instituciones vienen antes de los mercados, y no viceversa. Las decisiones políticas y las normas legales respecto a los derechos de propiedad tienen un impacto notable en las señales de precios e incentivos económicos, y, por lo tanto, en cómo —y si— determinados mercados funcionan. Así, las medidas institucionales conforman el modo a través del cual los mercados determinan el valor y asignan los recursos. Dado que todos los mercados están construidos sobre tales decisiones políticas previas, formalmente expresadas como normas e instituciones legales, incluso un mercado «libre» no puede ser neutral, objetivo o apolítico, tal como pretenden a menudo sus defensores.

La decisión del gobierno militar de no imponer impuestos o tarifas a los derechos de agua es fácil de entender, dado el contexto político y económico, y la decisión puede ser prontamente justificada. Sin embargo, esa decisión después fue cementada constitucionalmente, y aquellas condiciones legales y económicas se transformaron en intereses creados y derechos adquiridos. En consecuencia, cualquier imposición subsiguiente de una norma legal o incentivo económico diferentes sobre derechos de agua existentes debe sobreponerse a altas barreras constitucionales y políticas, tal como se plantea en el próximo capítulo.

Por último, quiero subrayar dos cuestiones que apunté anteriormente en este capítulo, al resumir el Código de Aguas. Ambos puntos han demostrado ser muy importantes desde 1990, como veremos en los capítulos siguientes.

En primer lugar, la creación de una nueva categoría de derechos de agua no consuntivos —para fomentar el desarrollo hidroeléctrico sin afectar a los agricultores o a otros usuarios de agua— fue básicamente una idea tardía. Esta idea no fue mencionada antes de 1979, y simplemente apareció cuando el nuevo Código de Aguas fue publicado en 1981. La falta de debate sobre la idea, incluso en los círculos cerrados del gobierno militar y sus aliados partidarios civiles, ayuda a explicar por qué las normas legales que definen estos derechos fueron tan vagas, con tan duraderas consecuencias negativas después de 1990.

En segundo lugar, dado que el uso agrícola del agua era la prioridad y preocupación dominante entre aquellos que redactaron el Código de Aguas, las medidas legales e institucionales para otros temas de gestión de las aguas fueron o bien pasados por alto, o simplemente dejados en manos del libre mercado. Los problemas de la gestión de las cuencas hidrográficas de los ríos, la coordinación de los usos múltiples, la resolución de conflictos, las externalidades económicas y ambientales, etc., tendrían que ser abordados con el marco general de la Constitución de 1980, que estableció fuertes derechos de propiedad privada y de libertad económica, débiles agencias reguladoras gubernamentales y un poderoso pero incompetente sistema judicial.

III. ¿Reformar la reforma? *Debates sobre políticas durante la democracia chilena*

S i hacemos una pausa en el año 2004 para revisar los primeros veintitantos años del Código de Aguas, ¿cuáles son las tendencias principales que destacan? Brevemente subrayaré tres puntos generales, y después discutiré en detalle el segundo y el tercero de estos puntos en los dos próximos capítulos.

En primer lugar, la segunda década del Código de Aguas (la de los noventa) ha sido mucho más dinámica y controvertida que su primera década (la de los ochenta). Durante los años ochenta los temas relacionados con los derechos de agua tenían un perfil muy bajo en Chile y provocaban poco debate público. Una razón es simplemente que el Código de Aguas era todavía nuevo y escasamente conocido, incluso entre los usuarios de aguas. Otra razón era la debilidad general de la economía nacional hasta los últimos años ochenta: las malas condiciones económicas reducían la demanda de recursos hídricos y, por lo tanto, disminuían el impacto de la nueva ley.

La principal razón de la falta de interés en los temas relativos al agua durante los años ochenta, sin embargo, era el contexto político nacional más amplio. El gobierno militar estuvo en el poder durante toda la década y mantuvo un estricto control del debate político y de la formulación de las políticas públicas. Las leyes de aguas eran una preocupación muy menor en el contexto de los largos y difíciles conflictos entre el régimen y sus varios oponentes sobre cuándo y cómo hacer la transición para retornar al gobierno democrático. El plebiscito nacional en octubre de 1988, a través del cual el intento del general Pinochet por gobernar el país durante otros ocho años fue rechazado, seguido por las elecciones nacionales en diciembre de 1989 para elegir un nuevo presidente y Congreso, dominaron completamente la atención ciudadana. Solamente en 1990 las condiciones políticas realmente se abrieron y los temas más prosaicos y técnicos sobre políticas públicas pudieron volver al debate público.[1]

Fue la segunda década del Código de Aguas, por lo tanto, la que marcó su verdadera emergencia al escenario público y a la conciencia ciudadana en Chile. El perfil del Código de Aguas alcanzó un nivel aún más alto debido al rápido crecimiento económico que se produjo después de 1986, que incrementó y diversificó las presiones sobre los recursos hídricos. (En los diez años posteriores a 1986, el producto interior bruto creció a una tasa promedio del 7% anual; desde entonces la tasa de crecimiento ha caído a cerca de la mitad, pero se ha mantenido positiva). En consecuencia, por razones políticas y económicas, en los dos próximos capítulos centraré mi análisis en el período a partir de 1990.

El segundo punto general que destaca en retrospectiva es que prácticamente toda la década de los noventa se caracterizó por un fuerte desacuerdo político en Chile sobre la conveniencia de reformar el Código de Aguas, y en caso de que sí lo fuera, respecto al cómo. Desde 1990, tres gobiernos nacionales sucesivos han propuesto una serie de reformas, tanto legales como de políticas públicas, en los ámbitos de los derechos de agua y de la gestión de los recursos hídricos. (Estos tres gobiernos han estado conformados por la misma coalición de partidos de centro-izquierda, conocida como la Concertación, que ha gobernado Chile desde el retorno a la democracia en 1990). Estas propuestas han generado un debate político y profesional acalorado, y hasta ahora han sido bloqueadas por la oposición conformada por los partidos de derecha y grupos de interés privados. Ya en 2004, tras más de diez años de debate, el destino de las reformas permanece sumamente incierto. Lo que queda claro, sin embargo, es que las medidas que sean aprobadas en el futuro cercano serán mucho más limitadas de lo que los reformistas habían esperado desde principios hasta mediados de los años noventa.

El tercer punto es que las investigaciones sobre los resultados del Código de Aguas han llevado a una mejora gradual del nivel del conocimiento y la comprensión empíricos del tema. Estas investigaciones han sido realizadas tanto por extranjeros como por chilenos, en ambos casos incluyendo a académicos y a no académicos. Al igual que los debates políticos mencionados anteriormente, estas investigaciones empíricas comenzaron a principios de los años noventa, y casi toda la atención se ha centrado en los mercados de aguas y en el comercio de derechos de agua.

Dentro de Chile, la investigación empírica ha estado estrechamente relacionada con los debates sobre políticas públicas respecto a cómo reformar el Código. Estos debates han tenido un cariz altamente politizado e ideológico, lo que inevitablemente ha afectado a los argumentos y análisis empíricos, un factor que los no chilenos por lo general no han comprendido. A pesar de esto, el gradual incremento de conocimiento empírico ha significado que a finales de los noventa existía un consenso emergente sobre cómo describir los mercados de aguas chilenos en la práctica. Los desacuerdos políticos sobre cómo interpretar esta descripción continúan siendo fuertes.

En los dos próximos capítulos examino la evolución de estos dos temas a lo largo de los años noventa hasta el siglo XXI. En este capítulo expongo los debates políticos y sobre políticas públicas en Chile respecto a las reformas del Código; en el capítulo IV, vuelvo a los análisis académicos y empíricos sobre los resultados prácticos del Código. Las cuestiones relacionadas con los mercados de aguas y los derechos de propiedad han dominado la atención de la gente en ambos ámbitos. Argumentaré, sin embargo, que también es importante destacar los temas que se han pasado por alto o se han estudiado superficialmente; es decir, equidad social, gestión de cuencas hidrográficas, resolución de conflictos y protección ambiental. El hecho de que estos temas hayan sido tan secundarios en Chile refleja las limitaciones de la política nacional, así como el predominio de una perspectiva estrecha y de libre mercado de la economía. Fuera de Chile, sin embargo, estos temas no son en absoluto secundarios: se encuentran en el centro mismo de los recientes debates internacionales sobre políticas hidrológicas, tal como se analiza en el capítulo I.

REFORMAR EL CÓDIGO DE AGUAS: MUCHO RUIDO Y POCAS NUECES[2]

Después de más de dieciséis años de gobierno militar, Chile retornó a un gobierno democrático en marzo de 1990, después de las elecciones nacionales de diciembre de 1989. El candidato de la Concertación, Patricio Aylwin, ganó la presidencia, y la coalición también ganó una mayoría en la Cámara de Diputados. Las principales metas del nuevo gobierno eran consolidar la transición a la democracia, mantener un crecimiento económico orientado al mercado y basado en la exportación de recursos naturales, y reducir la pobreza y la inequidad social.

Las limitaciones políticas y económicas que pesaban sobre el nuevo gobierno eran considerables, porque los militares sólo habían aceptado dejar el poder una vez que la Concertación se hubo comprometido firmemente a respetar y trabajar dentro del legado institucional del gobierno militar: la Constitución de 1980, su marco legal y político asociado, y el modelo económico neoliberal. De este modo, el nuevo gobierno tenía un espacio muy limitado para moverse en su intento de sacar adelante su programa general. Cualquier cambio legislativo significativo requería el consentimiento de por lo menos parte de la derecha política, que gozaba de una influencia desproporcionada en el Congreso nacional, especialmente en el Senado, y en el poder judicial (esto es, desproporcionada con relación al voto popular). El gobierno de la Concertación ha sido reelegido dos veces desde 1989 —Eduardo Frei hijo fue elegido presidente en 1993 y

Ricardo Lagos lo sucedió en 1999—, y el contexto político y constitucional general ha permanecido esencialmente igual.[3]

La legislación y política hidrológica han sido prioridades secundarias en este contexto más amplio. Sin embargo, la Concertación desarrollaba planes para reformar el Código de Aguas de 1981 en sus primeros meses en el poder, y ambas administraciones subsiguientes han continuado con estos esfuerzos.

Durante los años noventa y entrado el nuevo siglo, la crítica esencial del gobierno respecto del Código de Aguas ha sido que las características neoliberales de la legislación son demasiado extremas; en otras palabras, que el péndulo ha oscilado demasiado lejos hacia el libre mercado y la desregulación, y que ya es hora de volver a una posición más equilibrada. Por lo tanto, el gobierno ha propuesto una cantidad de cambios legales que alterarían aspectos clave del Código de Aguas, pero sin hacer volver el péndulo al otro extremo, representado por el Código de Aguas de 1967. Desde la perspectiva de los defensores actuales del Código de Aguas, sin embargo, el enfoque del gobierno ha sido, o mal guiado, o no digno de confianza, y cualquier movimiento del péndulo hacia una posición más central sería un incremento peligroso del control estatal.

El tema central de los debates sobre políticas hidrológicas en los años noventa, por lo tanto, ha sido un profundo desacuerdo sobre las reglas más básicas que definen los derechos de propiedad respecto del agua, y, por lo tanto, también un desacuerdo sobre el papel apropiado del gobierno y el alcance apropiado de las regulaciones públicas respecto a la gestión del agua. Todas las cuestiones más específicas y técnicas en disputa reflejan este tema subyacente. Más aún, los debates se han dado en por lo menos dos niveles diferentes, y los argumentos a menudo se han enredado. Por un lado, algunas personas han discutido sobre la legitimidad y justicia de las normas y definiciones legales; por otro, han discutido sobre la eficiencia económica y los efectos prácticos de estas normas.

Durante el curso de los años noventa, se han dado dos rondas de debate sobre la reforma del Código de Aguas. Estas dos rondas corresponden a dos paquetes diferentes de propuestas que fueron enviadas al Congreso por la rama ejecutiva del gobierno. El primer paquete de reformas propuestas, a comienzos de los años noventa, fue agresivo y torpe, y fue derribado en el curso de un año. El segundo paquete fue más limitado, cuidadoso y pragmático, y aún está siendo debatido más de siete años después.[4]

PRIMERA RONDA (1990-1993): EL GOBIERNO VA DEMASIADO LEJOS

La postura inicial del gobierno a comienzos de los años noventa incluía una fuerte crítica política e ideológica del Código de Aguas. En 1990, se le dieron instrucciones a la Dirección General de Aguas (DGA) para que preparara una nueva «Política Nacional de Recursos Hídricos», en consulta con otras agencias gubernamentales, con grupos de interés del sector privado y con organizaciones no gubernamentales. Su tarea era diagnosticar la situación nacional de los derechos de agua, identificar los problemas para los cuales el actual enfoque *laissez faire* era inadecuado (tales como protección ambiental y otros intereses públicos), y proponer los cambios legislativos necesarios para afrontar estos problemas.

Al mismo tiempo, el gobierno también nombró a un prominente abogado experto en temas de aguas, Gustavo Manríquez, como el nuevo director de la DGA. Dado que todos los directores anteriores de la agencia habían sido ingenieros, el nombramiento de un abogado reflejaba la prioridad que el nuevo gobierno concedía a la reforma de la ley. Diez años antes, Manríquez había participado en la redacción, por parte del gobierno militar, del Código de Aguas, algo que fue un arma de doble filo: significaba que él estaba íntimamente familiarizado con los temas, y evidentemente compartía algunas de las críticas del nuevo gobierno democrático respecto del Código,[5] pero también suscitaba dudas sobre sus propias posturas políticas e ideológicas subyacentes.

Las primeras versiones de la Política Nacional de Recursos Hídricos subrayaban la importancia del «interés general de la nación» y alegaban a favor de «recuperar» el estatus del agua como un bien nacional de uso público.[6] A pesar de que el Código de Aguas de 1981 define los recursos hídricos de forma que tengan este estatus, y, por lo tanto, sean propiedad pública, la perspectiva del gobierno era que en la realidad el Código había socavado la definición formal al privatizar completamente los derechos de *uso* de las aguas.[7] En una serie de encuentros y seminarios públicos, los representantes de la DGA sugirieron diversos cambios legales, muchos de los cuales implicarían aumentar las restricciones sobre los derechos privados y fortalecer los poderes y deberes reguladores de la agencia. La DGA finalmente moderó algunas de sus propuestas iniciales en respuesta a los comentarios recibidos en estos encuentros.

Después de dos años de este proceso, en diciembre de 1992 el gobierno envió al Congreso su primera ronda de reformas legislativas propuestas. En este proyecto de ley el gobierno argumentó que el Código de Aguas «adolece de excesiva permisividad y pasividad» ante la realidad de problemas críticos de escasez y contaminación de las aguas.[8] Al definir derechos privados sobre las aguas de modo tal que no incluyen ni deberes ni obligaciones hacia los intereses públicos, el Código ha favorecido la especulación privada, el acaparamiento y el monopolio de los derechos de agua, y ha socavado los incentivos para utilizar los derechos de agua en actividades económicamente productivas. Según el gobierno, este estado de las cosas era tanto socialmente injusto como económicamente ineficiente: injusto porque permitía a los intereses privados sacar provecho de la propiedad pública sin realizar una función social útil a cambio, e ineficiente porque retenía el desarrollo económico nacional al desincentivar el uso productivo de los recursos.

El proyecto de ley de 1992 tenía cuatro partes. La primera expresaba la meta de «recuperar» las características públicas de las aguas, al alterar la definición legal de los derechos de propiedad sobre el agua. La segunda parte aumentaba la autoridad reguladora de la DGA en relación con la protección de la calidad de las aguas y de los cauces, incluyendo el poder de exigir a los titulares de derechos de agua otorgados en el futuro, la obligación de mantener caudales mínimos para fines ecológicos. La tercera parte se hacía cargo del vacío institucional existente en el ámbito de la gestión de las cuencas hidrográficas proponiendo la creación de nuevas organizaciones en el nivel de cuencas para administrar el uso de las aguas. La cuarta parte hacía ajustes para diferentes condiciones regionales, endureciendo las regulaciones en el norte árido, donde la escasez del agua era un problema grave, y suavizándolas en el sur lluvioso.[9]

El proyecto habría redefinido el alcance de los derechos de propiedad de varias maneras. La más controvertida era una propuesta de volver a la norma legal que establecía que obtener y tener derechos de agua exigía utilizarlos de manera concreta. Así, una solicitud a la DGA para obtener nuevos derechos de agua tendría que especificar su uso planificado, y los derechos no utilizados por un período de cinco años podrían ser anulados por la DGA sin compensación, y reasignados a otros usos del agua con necesidades más inmediatas y concretas. Esta norma, «úselo o piérdalo», había sido parte de ambos códigos de agua anteriores en Chile y era bien conocida por los expertos chilenos en aguas y por los usuarios de aguas.[10]

El gobierno reconoció que este cambio afectaría a los derechos de propiedad de los usuarios de aguas, e hizo dos argumentos constitucionales en su favor. Un argumento era que incluso bajo el imperio de la actual Constitución, con su fuerte protección de los derechos de propiedad privada, tales derechos estaban limitados por la «función social» de la propiedad. La Constitución define esta función social para incluir «los intereses generales de la Nación, la seguridad nacional, la utilidad y la salubridad públicas y la conservación del patrimonio ambiental».[11] Tal como alegaba el gobierno, esta definición era lo suficientemente amplia como para permitir ciertas limitaciones a los derechos de agua.

El otro argumento relacionado era que el gobierno podía imponer ciertas condiciones a los derechos privados para utilizar la propiedad pública, ya que nadie discutía que los recursos hídricos mismos eran todavía propiedad pública inalienable. El gobierno procedió a argumentar que las condiciones y limitaciones adicionales no debilitarían de hecho la seguridad legal de los derechos privados, a pesar de que podría parecer que lo hacían; al contrario, en un sentido más amplio, la reforma *aumentaría* esta seguridad al corregir el desorden desregulado del sistema de derechos de agua como un todo.[12]

A pesar de que el diagnóstico general del gobierno respecto de la situación de los derechos de agua era razonable, sus argumentos constitucionales eran discutibles y sus tácticas políticas eran torpes. La norma propuesta del «úselo o piérdalo» se transformó en un blanco atractivo para la oposición, generando una feroz resistencia por parte de grupos de interés del sector privado (particularmente aquellos que representan a los usuarios de aguas agrícolas), de los economistas neoliberales y de políticos de derecha. Algunos de estos oponentes compartían las críticas gubernamentales respecto a la especulación, el poder monopolístico potencial y el no uso de los derechos de agua otorgados, estando de acuerdo en que estos problemas eran obstáculos al desarrollo económico y deberían ser reformados. Sin embargo, incluso estos oponentes que expresaban algún grado de empatía con la postura del gobierno rechazaban la forma en que el gobierno pretendía resolver el problema.[13]

En primer lugar, casi todos los oponentes rechazaban la norma del «úselo o piérdalo» por ser claramente inconstitucional: el gobierno no podía imponer nuevas restricciones a derechos de propiedad adquiridos sin pagar compensación. Ésta era ciertamente la intención del gobierno militar y de su Comisión Constituyente en los años setenta, tal como describe el relato del capítulo II sobre el trasfondo histórico del Código de Aguas. Incluso si los argumentos legales opuestos de los gobiernos de la Concertación pueden ser teóricamente plausibles, sonaban demasiado parecidos a la Reforma Agraria y otras políticas intervencionistas de veinte años antes.

Este tema constitucional particular apunta al problema político más amplio: los contrarios al gobierno atacaban todo el paquete de reformas por ser un enfoque excesivamente centralizado y «estatista», que era peligrosamente reminiscente del conflicto que llevó al golpe militar. Desde este punto de vista, las reformas propuestas sugerían que el proclamado compromiso de la Concertación con el modelo económico neoliberal era superficial o poco sincero. Las reformas aumentarían la «discrecionalidad administrativa» de la DGA y, por lo tanto, el potencial abuso de poder burocrático, y podrían socavar los elementos fundamentales del modelo económico: la libertad económica del sector privado, la seguridad de la propiedad privada, y la neutralidad apolítica del libre mercado. En este contexto, la norma del «úselo o piérdalo» era un ejemplo simbólico de la supuesta postura antimercado del gobierno.

Las organizaciones de cuenca propuestas también eran muy controvertidas. De acuerdo con la nueva propuesta del gobierno, estas organizaciones serían híbridos público-privados a escala regional. Se hacía referencia a éstas como «corporaciones administrativas» y se suponía que agruparían todos los principales actores en el uso de las aguas en el ámbito de la cuenca, incluyendo los propietarios de derechos de agua y las asociaciones de regantes, agencias gubernamentales y empresas públicas, gobiernos municipales, universidades locales, asociaciones del sector privado y otras organizaciones no gubernamentales. Desafortunadamente, el gobierno no dijo nada concreto sobre cómo funcionarían las nuevas organizaciones, dejando fuera cuestiones críticas como las siguientes: cómo se tomarían las decisiones, y cómo se garantizaría su acatamiento; cuáles serían las proporciones y derechos de voto de los distintos miembros; cuáles serían las fuentes de financiación; cuáles serían los poderes y deberes de las organizaciones con relación a las agencias gubernamentales y organizaciones de usuarios existentes; y otras.[14] El propósito del gobierno era, presumiblemente, iniciar la discusión pública de estas ideas más que dictar el resultado final, pero la propuesta fue ampliamente criticada como vaga y torpe, y como creciente evidencia de las intenciones antimercado del gobierno.[15]

Los más extremos de los antirreformistas alegaban que el Código de Aguas y el mercado de aguas habían funcionado muy bien, de tal modo que no se necesitaban cambios de ningún tipo. Rechazaban prácticamente cualquier autoridad adicional del gobierno en cualquier área de la gestión del agua, incluso aunque fuera evidentemente constitucional; por ejemplo, se oponían a darle a la DGA el poder de imponer requerimientos de caudales mínimos ecológicos en los futuros otorgamientos de derechos de agua, a pesar de que esto no afectaba a ningún derecho de agua adquirido existente.

La mayoría de los contrarios al gobierno estaban de acuerdo en que el Código de Aguas tenía defectos, pero insistían en que los problemas debían corregirse de un modo compatible con los principios de libre mercado centrales a la legislación; es decir, adoptando algún tipo de incentivo económico en vez de un requerimiento legal. La norma del «úselo o piérdalo» fue criticada en términos económicos por ser un desincentivo directo para un uso y asignación ineficiente de las aguas (crítica generalizada en el oeste de los Estados Unidos). Una alternativa mejor sería alguna forma de impuesto, tasa u otro instrumento económico.

INSTRUMENTOS ALTERNATIVOS: IMPUESTOS A LOS DERECHOS DE AGUA FRENTE A TASAS POR EL NO USO

Dos instrumentos económicos alternativos han dominado el debate subsiguiente en Chile, desde 1993 hasta la fecha. Uno es establecer impuestos anuales a los derechos de agua, tal como con las tierras y otros bienes raíces, que se pagarían tanto si los derechos son utilizados como si no. Éste, por supuesto, era exactamente el mismo sistema por el cual abogaban los neoliberales a finales de los años setenta, pero que la junta militar rechazó porque los costes administrativos y políticos eran demasiado altos (véase el capítulo II). Volveré a esta alternativa más adelante en este capítulo, porque después de languidecer en un segundo plano durante la mayor parte de la década de los noventa, ha vuelto recientemente al centro del escenario con renovada fuerza política.[16]

La otra alternativa establecería una tasa anual que sería pagada por los propietarios de cualquier derecho de agua que *no* estuviera siendo usado. Esta tasa por no uso fue un concepto que se pidió prestado a la ley minera chilena, que se parece a la legislación de aguas en algunos aspectos esenciales. Los recursos minerales se definen en la Constitución como propiedad inalienable del gobierno nacional (pero no como propiedad del público en general, como en el caso del agua). Los particulares, sin embargo, pueden adquirir permisos para usar y extraer estos minerales, y tales permisos, una vez otorgados, se transforman en derechos de propiedad. Si el dueño de un derecho minero está utilizando ese derecho, no le debe nada al gobierno; sin embargo, si no lo está utilizando, debe devolverlo al gobierno o pagar una tasa anual para conservarlo. De este modo, la tasa provee un incentivo económico a usar el recurso.[17]

El gobierno estaba bastante abierto a ambas sugerencias. De hecho, las anteriores propuestas de la DGA en 1991 habían mencionado tanto las tasas como los impuestos a la propiedad como alternativas que valía la pena explorar.[18] En 1993, unos pocos meses después de que el decreto propuesto hubiera sido enviado al Congreso, Manríquez, el director de la DGA, declaró a un comité del Congreso que se había dejado fuera del decreto algún tipo de impuesto o tasa «sólo con el fin de permitir que ello fluyera de la propia discusión».[19]

Seis meses después, el gobierno enmendó el proyecto de ley, abandonando la norma del «úselo o piérdalo», y la reemplazó con tasas por no uso. La enmienda decía que estas tasas no se aplicarían a los derechos de agua existentes, sino solamente a los derechos recién otorgados que todavía no habían sido utilizados por sus propietarios; ésta era una categoría bastante limitada, pero que levantaba menos alarmas sobre constitucionalidad. El gobierno propuso tasas que variaban por región (serían mucho más altas en el norte árido, donde el agua era más escasa), y que aumentaban a medida que pasaba el tiempo si los derechos permanecían sin uso. Además, las tasas serían mucho más altas para derechos de agua no consuntivos que para los consuntivos.[20] Los derechos de agua no consuntivos pronto se transformarían en una de las preocupaciones centrales del gobierno, tal como veremos más adelante.

A pesar de que el gobierno abandonó la norma del «úselo o piérdalo», a finales de 1993 la fuerza de la oposición a las reformas propuestas obligó al gobierno a retirar el proyecto completo de la discusión activa en el Congreso. Las elecciones nacionales en diciembre de 1993 fueron otra razón para hacer una pausa y reagruparse. El gobierno de la Concertación fue reelegido tal como se esperaba, con Eduardo Frei Ruiz-Tagle ganando la presidencia y la Concertación reteniendo la mayoría en la Cámara de Diputados, aunque no en el Senado. Sin embargo, la rotación de políticos y administradores clave significó que las reformas del Código de Aguas quedaron temporalmente paradas. Un cambio importante fue en la dirección de la DGA, donde Manríquez fue reemplazado por un ingeniero de larga trayectoria en la DGA, Humberto Peña. Peña permanecía en este cargo en el año 2004, proporcionando valiosa continuidad al liderazgo y supervisando un proceso de largo plazo de modernización administrativa de la agencia.

ATENCIÓN CRECIENTE A LOS INSTRUMENTOS ECONÓMICOS Y EL ANÁLISIS ECONÓMICO (1994-1995)

Después del fracaso de la primera ronda de reformas, el debate sobre el cambio de las normas e incentivos para el uso del agua continuó al mismo ritmo durante el siguiente par de años, pero con un perfil público más bajo. La discusión se hizo más sofisticada técnicamente a medida que el gobierno desarrollaba y refinaba sus argumentos en preparación para otro intento de reforma legislativa, y también hizo ajustes estratégicos y tácticos para ganar apoyo político. Este período también marcó el comienzo de un notable aumento en el análisis y los comentarios económicos, tanto en el ámbito de las políticas públicas como en el académico. La atención de los economistas —mayormente académicos extranjeros en lugar de chilenos— estaba centrada en el funcionamiento y resultados de los mercados de aguas chilenos.

A pesar de que el gobierno había abandonado la norma del «úselo o piérdalo» y adoptado un concepto de un instrumento más directamente económico, había diferentes visiones sobre cómo proceder. La perspectiva predominante dentro del gobierno favorecía el establecimiento de tasas por el no uso, que se aplicarían por lo menos a todos los derechos de agua recientemente otorgados y todavía sin uso; algunas personas en el gobierno querían que éstas se aplicaran también a los derechos existentes. La preferencia por las tasas por no uso reflejaban la perspectiva de que tales tasas serían un buen primer paso para la reforma: fáciles de aplicar y menos sensibles políticamente que gravar nuevos impuestos a la propiedad a todos los derechos de agua nuevos y existentes.

Por ejemplo, el entonces ministro de Obras Públicas, Ricardo Lagos, explicaba en 1994 que la posición del gobierno era que las tasas por no uso eran «tal vez un elemento mínimo» en el contexto más amplio de los problemas del agua. Era optimista respecto a que el Congreso aprobaría las tasas rápidamente de tal modo que todos podrían volver a poner su atención en los temas más difíciles de las políticas hidrológicas, tales como la planificación hídrica de largo plazo, la coordinación en las cuencas hidrográficas y la gestión ambiental. Estos temas más complejos requerirían de un período más largo de tiempo para el análisis y la negociación.[21] (El mismo Ricardo Lagos ha sido presidente de Chile desde el año 2000, y ya era una prominente figura política cuando fue ministro de Obras Públicas).

Otros miembros del gobierno tenían ideas más ambiciosas. El director de la Dirección de Riego (la agencia hermana de la DGA en el Ministerio de Obras Públicas) argumentó que las tasas eran una solución inadecuada del problema de la especulación y del no uso de derechos de agua. Tales tasas afectarían sólo a una pequeña proporción de los derechos de agua del país, dijo, y contrariaban la lógica de mercado del Código de Aguas. En vez de eso, recomendaba un enfoque más completo tendente a mejorar los incentivos económicos y a aumentar el valor económico del agua: establecer una tarifa anual para todos los usos de las aguas como un «insumo productivo» en las actividades económicas. Esta tarifa incluiría tanto un cargo fijo como un cobro que variaría dependiendo del volumen de agua utilizado. Su razonamiento era muy similar a los argumentos que hacían los economistas neoliberales a finales de los años setenta a favor de los impuestos separados sobre los derechos de agua, y como estos economistas, no se refirió a la factibilidad institucional de poner en práctica tal sistema.[22]

Un inciso: la legislación ambiental chilena

La legislación ambiental chilena hasta ahora ha tenido poco impacto en los derechos de agua o la gestión de los recursos hídricos, porque la legislación ambiental moderna todavía es bastante reciente en Chile y la regulación es bastante débil. Los temas ambientales no eran una prioridad durante el gobierno militar, pero sí formaban parte de la agenda política cuando la Concertación asumió el poder en 1990. Una gran parte de la presión para dictar una nueva legislación ambiental era externa. La Concertación quería fortalecer las relaciones comerciales internacionales de Chile, tanto para aumentar la inversión extranjera en Chile como para ampliar los mercados para las exportaciones chilenas, pero a partir de los años noventa los tratados internacionales de comercio requerían que los países tuvieran al menos la apariencia de una legislación ambiental adecuada.

La primera legislación ambiental moderna y sistemática en Chile se aprobó en 1994, al final de la administración del presidente Aylwin, y fue influida por varios años de negociación política entre el gobierno, la oposición de derecha y poderosos grupos de interés del sector privado. La ley estableció principios básicos y un marco general.[23] No fue una legislación completa, sino que sentó las bases para otras leyes más técnicas y detalladas en áreas específicas, que se iban a redactar más adelante. Los objetivos del gobierno eran explícitos y pragmáticos: proceder de forma gradual; hacer un inventario y organizar sistemáticamente las muchas normas legales existentes, dispersas en diversas leyes y regulaciones sectoriales, relacionadas con el medio ambiente; y sobre todo, no frenar el crecimiento económico.

Dichos objetivos se han conseguido. La ley de 1994 estableció una nueva agencia, la Comisión Nacional de Medio Ambiente, cuyo papel es «coordinar» otras agencias y ministerios gubernamentales. La comisión es débil tanto legal como políticamente. Tiene potestades reguladoras bastante limitadas para hacer cumplir las leyes, y está directamente subordinada a la oficina del presidente, que ha mantenido un fuerte control sobre la comisión. Los informes sobre impacto ambiental para proyectos específicos constituían el área sustantiva que fue más desarrollada en la ley de 1994 y que ha sido objeto de más atención en regulaciones subsiguientes. Otros aspectos de la protección y gestión del medio ambiente han avanzado más lentamente.[24]

Los pros y contras de la legislación y política ambiental chilena han sido muy discutidos en Chile, y éste no es el lugar para analizar la temática en detalle. Para los propósitos de este libro, el punto importante es que los asuntos de derechos de agua, mercados de aguas y gestión de aguas han sido esencialmente separados de la regulación ambiental. En su autonomía de la Comisión Nacional de Medio Ambiente, el Código de Aguas y la DGA han sido como otras leyes y agencias gubernamentales sectoriales. Esto no quiere decir que la DGA haya ignorado los temas ambientales desde 1990; todo lo contrario. Pero por lo general la DGA ha abordado estos temas en el marco del Código de Aguas más que en el de la ley ambiental de 1994.

SEGUNDA RONDA (1996-2003): EL GOBIERNO MODERA SU POSICIÓN

La rama ejecutiva del gobierno envió una segunda ronda de propuestas de reformas del Código de Aguas al Congreso en julio de 1996.[25] Las nuevas propuestas compartían el diagnóstico general y muchas de las disposiciones más técnicas del proyecto de ley de 1992; esto es, el gobierno todavía sostenía que el código era demasiado *laissez faire* como para gestionar los crecientes problemas hídricos del país relacionados con la escasez, el conflicto y la degradación ambiental. Sin embargo, las propuestas de 1996 se distinguían por varias cuestiones importantes.

Por lo general, las nuevas propuestas eran más limitadas, pragmáticas y cuidadosamente preparadas. En parte esto reflejaba la dura experiencia política de la primera ronda de debate. Pero también queda claro que este cambio fue más que simplemente un giro táctico: los análisis de políticas públicas del gobierno así como sus posiciones respecto a temas hídricos se fueron haciendo cada vez más equilibrados, reflexivos y orientados a lograr el consenso. Quizás la mejor evidencia de este cambio son los varios años que la DGA pasó perfeccionando los documentos en los que se describía la Política Nacional de Recursos Hídricos, que la agencia después distribuía para efectos de educación y discusión pública a finales de los años noventa.[26]

Otro ejemplo de la actitud menos confrontacional de la agencia durante este período fue su decisión de encargar informes sobre temas técnicos respecto de políticas públicas a expertos e instituciones del ámbito académico que en general no apoyaban la posición gubernamental, siendo el caso más notable la Universidad Católica de Santiago.[27]

Un segundo cambio fue la propuesta del gobierno de alterar las reglas básicas que definen los derechos de propiedad estableciendo tasas que se aplicarían a todos los derechos de agua existentes y futuros, tal como se ha descrito antes. El gobierno intentó aliviar los temores de la oposición respecto al exceso de discrecionalidad administrativa de dos maneras: primero, especificando las pautas que la DGA seguiría para determinar qué derechos (o qué porciones de derechos) no estaban siendo usados, y, segundo, estableciendo una revisión judicial de los procedimientos. Al igual que en el paquete de reformas previo, las nuevas propuestas también pretendían aumentar la autoridad de la DGA para imponer condiciones para nuevos derechos de agua, con el propósito de proteger varios intereses públicos. Por ejemplo, para prevenir la especulación, la agencia exigiría una explicación respecto de la necesidad concreta de agua como parte del proceso de solicitud de nuevos derechos, así como un estudio de las interacciones entre las aguas superficiales y subterráneas. Además, al otorgar nuevos derechos, la DGA tendría la potestad de considerar y requerir el mantenimiento de «caudales ecológicos», es decir, caudales mínimos dentro del cauce para fines de protección ambiental y de la calidad de las aguas.

A pesar de que estas propuestas perseguían aumentar las restricciones sobre la propiedad privada de los derechos de agua, un tercer cambio era que el gobierno ahora explícitamente declaraba su apoyo a los mercados de aguas, en las condiciones apropiadas. El gobierno expresó su argumento en términos económicos neoclásicos convencionales: la definición liberal de los derechos de agua en el Código de Aguas, y su incapacidad de imponer un coste a la propiedad de los derechos de agua, habían distorsionado las señales de precios sobre el valor económico del agua y, por lo tanto, habían socavado el funcionamiento eficiente de los mecanismos de mercado. Las reformas, en cambio, estaban diseñadas para corregir estas distorsiones y para mejorar, de este modo, el funcionamiento del mercado.[28]

Tal como el ministro de Obras Públicas, Ricardo Lagos, explicaba en una entrevista en un periódico, «si se trata de hacer operar libremente el mercado, hay que introducir, entonces, el precio del insumo que es el agua. Esto se puede realizar por el cobro de una tasa o de una tarifa proporcional al uso que se haga del recurso».[29] Más tarde, en la Política Nacional de Recursos Hídricos la DGA desarrolló el mismo argumento: «El agua es un bien económico y como tal el sistema jurídico y económico que regula su uso debe alentar a que sea utilizado eficientemente por los particulares y la Sociedad. De acuerdo con lo anterior, son aplicables a los recursos hídricos los principios de la economía de mercado, con las adaptaciones y correcciones que exigen las particularidades de los procesos hidrológicos».[30]

Un cuarto cambio importante fue que los derechos de agua no consuntivos se transformaron en un tema cada vez más prominente y controvertido. Tal como se describe en el capítulo II, la creación y definición de los derechos no consuntivos fue una de las principales innovaciones del Código de Aguas de 1981, cuyo propósito era fomentar el desarrollo de la energía hidroeléctrica sin perjudicar los derechos consuntivos de los regantes. A mediados de los años noventa, los derechos no consuntivos se habían transformado en el blanco principal de las críticas del gobierno respecto de la especulación, del acaparamiento y del no uso de los derechos existentes. Esto reflejaba tanto los problemas de la legislación eléctrica y de la regulación del sector, como los problemas relacionados con la legislación de aguas: el gobierno estaba crecientemente preocupado por el poder monopolístico de las corporaciones privadas del sector eléctrico, que el gobierno militar había privatizado en los años ochenta. Debido a que en Chile la generación de electricidad es altamente dependiente de centrales hidroeléctricas, los temas de políticas hidrológicas y eléctricas están estrechamente relacionados.

Desde 1995 hasta 1997, la DGA se enredó en una disputa legal, con intereses en juego de muy alto nivel, con la más poderosa empresa privada del sector eléctrico, Endesa, respecto de las solicitudes de la empresa para obtener nuevos derechos de agua no consuntivos para futuros proyectos de centrales hidroeléctricas. La DGA se negó a otorgar estos nuevos derechos basándose en que tal acumulación de derechos perjudicaría severamente la competencia. El conflicto finalmente derivó a la Comisión Resolutiva Antimonopolios de Chile, que emitió un fallo favorable a la DGA a comienzos del año 1997.[31] Los temas más amplios en torno a la relación entre las políticas hidrológicas y las políticas eléctricas, sin embargo, continúan siendo complejos y difíciles.[32]

En cualquier caso, la mayor atención del gobierno a los derechos de agua no consuntivos se limitaba a los temas de las tasas y de la concentración de la propiedad: no abordaba los problemas de conflictos sobre el uso de las aguas en el ámbito de las cuencas hidrográficas o la tensa relación entre los derechos de agua consuntivos y no consuntivos. Ésta era una omisión notable, dado que durante los años previos repetidamente habían ocurrido choques entre agricultores, empresas eléctricas y organizaciones ambientales sobre cómo coordinar ambos tipos de derechos dentro de una cuenca compartida. Durante el curso de estos conflictos, las sentencias erráticas y superficiales de la Corte Suprema de Chile habían demostrado la necesidad de aclarar las disposiciones relevantes del Código de Aguas (véase el capítulo IV).[33]

Finalmente, otro cambio significativo en el segundo paquete de reformas era el aplazamiento por tiempo indefinido de la propuesta para crear nuevas organizaciones de cuencas hidrográficas. La decisión de abandonar esta propuesta estaba presumiblemente relacionada con la omisión por parte del gobierno de hacerse cargo de la competencia entre derechos de agua consuntivos y no consuntivos. La necesidad de una gestión de cuencas más eficiente ha continuado suscitando atención retórica en Chile, y ha sido el sujeto de un constante chorreo de estudios técnicos con financiación internacional. Como una posibilidad política real, sin embargo, el tema ya no está sobre la mesa de discusión.

Todos estos cambios reflejaban la evaluación política del gobierno en el sentido de que el próximo paso en la reforma del

Código de Aguas debería ser el adoptar las medidas respecto a las cuales había mayor consenso, dejando los temas más conflictivos para una discusión posterior. Esto fue expresado en el mensaje dirigido por el presidente al Congreso al presentar el proyecto de ley,[34] entre otras ocasiones.

LA OPOSICIÓN SE ENDURECE

A pesar de los esfuerzos del gobierno por responder a las objeciones anteriores y por presentar un paquete de reformas más moderado, las nuevas propuestas encontraron fuerte oposición del mismo conjunto de grupos de interés privados, de analistas de políticas públicas neoliberales, y de políticos de derecha. Nuevamente la oposición se centró en el intento de modificar las reglas básicas que definen los derechos de propiedad, esta vez la propuesta de imponer tasas a los derechos de agua. Algunos oponentes inicialmente encontraron que el concepto general de estas tasas era aceptable —después de todo, muchos de ellos habían sugerido o apoyado la idea varios años antes, como un incentivo económico compatible con los principios de mercado—,[35] pero no la versión específica propuesta por el gobierno. Los intereses hidroeléctricos y mineros privados, por ejemplo, reclamaron que las tasas habían sido establecidas en un nivel demasiado alto y que el período permitido para el no uso era demasiado corto, especialmente para grandes proyectos de inversión que requieren un horizonte temporal más largo. Pero no presentaron ninguna contrapropuesta ni intentaron negociar una solución intermedia.[36]

A finales de 1996, los que se oponían a la reforma habían dejado de lado toda sugerencia anterior en el sentido de que pudieran estar de acuerdo con algún tipo de tasa por el no uso. En vez de eso, criticaron la medida como un incentivo perverso que fomentaría un uso ineficiente del agua. Como en 1993, el aspecto central de la oposición a la reforma era una desconfianza política e ideológica profunda respecto a cualquier aumento de las regulaciones gubernamentales o cualquier nueva restricción de los derechos de propiedad. Los antirreformistas acusaron al gobierno de tratar de expandir la autoridad discrecional de la

DGA y de socavar así los principios de libre mercado del Código de Aguas. Los oponentes más comprensivos pensaban que el gobierno estaba simplemente mal orientado, mientras que los menos comprensivos vieron la amenaza renovada del socialismo, de la planificación centralizada y de la Reforma Agraria.

Un crítico prominente fue un abogado de aguas que como asesor civil de alto rango en el Ministerio de Agricultura durante el régimen militar había participado en la redacción del Código de Aguas de 1981. En un editorial del periódico conservador *El Mercurio,* advirtió de «la planificación del ataque [...] causando heridas a la libertad de emprender».[37] El presidente de la Sociedad Nacional de Minería, un grupo de interés del sector privado, se expresó en términos similarmente incendiarios: «Las amplias facultades discrecionales que el proyecto da a las autoridades políticas [...] convertirán al director de la DGA en *una de las personas con más poder económico del país: un verdadero "señor de las aguas"*».[38] El grado de estridencia retórica variaba, pero otros oponentes a la reforma se pronunciaban en términos políticos e ideológicos similares.[39] Enfrentado a tales reacciones, la disposición del gobierno a negociar detalles tales como la estructura de las tasas y las pautas para su aplicación no sirvieron de nada.

A pesar de que el tono altamente ideológico de muchos de los contrarios a la reforma era innegable, también es verdad que muchas de sus críticas eran razonables y bien fundamentadas, tal como se discute más adelante.

RETOS CONSTITUCIONALES A LAS TASAS POR EL NO USO

En agosto de 1997, después de más de un año de discusión sin apuros de la legislación propuesta por el gobierno, la Cámara de Diputados votó a favor y la envió al Senado. (En esos momentos la Concertación tenía la mayoría en la Cámara, pero en el Senado la correlación de fuerzas entre ésta y la oposición de derecha era esencialmente igual). Habiendo fracasado en bloquear el proyecto, un grupo de diputados de derecha solicitaron, a la más alta corte constitucional del país, el Tribunal Constitucional, declarar inconstitucionales las reformas del Código de Aguas propuestas.[40]

La postura de los diputados conservadores era extrema: defendían que sería inconstitucional no solamente imponer tasas por el no uso de derechos de agua existentes, sino también poner limitaciones o condiciones adicionales a los derechos de agua nuevos que pudieran ser otorgados en el futuro. Cualquiera de estas reformas, desde su perspectiva, exigía la aprobación de las grandes mayorías legislativas que eran necesarias para asuntos de rango constitucional.[41]

Si su cuestionamiento constitucional hubiese tenido éxito, habría destripado hasta la versión más débil de la reforma. El Tribunal Constitucional, sin embargo, rechazó el cuestionamiento dos meses después, y aceptó varios de los argumentos del gobierno sobre la constitucionalidad de la propuesta en cuestión.[42] El fallo es la única decisión del tribunal hasta la fecha en el ámbito del derecho de agua. Tal como el abogado jefe de la DGA argumentó posteriormente, la decisión afirmó el estatus legal de los recursos hídricos como propiedad pública («bienes nacionales de uso público») y concluyó, por lo tanto, que el acceso privado a *nuevos* derechos a usar estos recursos podría estar sujeto a regulaciones. En su decisión también concluyó que estas regulaciones pueden ser impuestas por legislación ordinaria, es decir, por mayorías simples en ambas salas del Congreso nacional. En otras palabras, el tribunal falló que los derechos de uso privados que todavía no han sido otorgados no gozan de protección constitucional respecto a nuevas regulaciones.[43]

A pesar de que esto era indudablemente una victoria para el gobierno, el alcance de la decisión del tribunal era, de hecho, bastante estrecho. Le permitía a la legislación ordinaria imponer limitaciones a futuros derechos, pero no aclaraba qué limitaciones —incluyendo las tasas por no uso— podían ser aplicadas retroactivamente a los derechos existentes. En términos prácticos, esta última cuestión es obviamente mucho más importante.

El Senado encargó un informe sobre este último aspecto a un prominente experto en derecho constitucional de la Universidad

Católica, José Luis Cea. Cea concluyó que las propuestas y argumentos del gobierno eran sin duda constitucionales.[44] Sin embargo, aunque la opinión de Cea tiene algún peso en los círculos legales chilenos, su interpretación no es, desde luego, vinculante en las cortes o en el Tribunal Constitucional. El Senado también encargó al Instituto de Derecho de Minas y Aguas, afiliado a la Universidad de Atacama, un análisis legal más técnico de las propuestas del gobierno. Aun cuando el autor del informe del instituto estuvo de acuerdo con la necesidad de reformar el Código de Aguas, dudaba de la constitucionalidad de algunos de los aspectos clave de las propuestas, incluyendo la imposición de cobros o tarifas a los derechos de agua existentes.[45]

Otro, e igualmente prominente, experto en derecho constitucional de la Universidad Católica, Raúl Bertelsen, llegó a una conclusión opuesta a la de Cea. Bertelsen, que es más conservador que Cea, alega que las tasas por no uso son inconstitucionales por varias razones. Primero, las tasas «vulnera[n] […] los atributos o facultades esenciales del dominio que tienen sus titulares sobre sus derechos de aprovechamiento de aguas» y «afecta[n] en su esencia y en su libre ejercicio de [su] propiedad». Segundo, las tasas «establece[n] tributos manifiestamente desproporcionados o injustos». Tercero, respecto a la propuesta diferenciación entre derechos consuntivos y no consuntivos, las tasas «vulnera[n] […] las garantías constitucionales de igualdad ante la ley y, especialmente, de no discriminación arbitraria en el trato que deben dar el Estado y sus organismos en materia económica».[46] Dado que Bertelsen era un miembro de la Comisión Constituyente del gobierno militar en los años setenta y participó en la redacción de la Constitución de 1980, su interpretación de la intencionalidad constitucional debe ser tomada en serio.

¿'DÉJÀ VU' UNA VEZ MÁS? EL RENACIMIENTO DE LOS IMPUESTOS A DERECHOS DE AGUA

A pesar de que la decisión del Tribunal Constitucional en 1997 no fue la que los antirreformistas esperaban, el debate político se ha arrastrado por los siguientes seis años con pocos cambios por ambos lados. Las reformas propuestas se movieron lentamente a través del Senado, donde fueron estudiadas por tres comisiones distintas y debatidas en el Senado en pleno a finales del año 2000.[47] El gobierno hizo concesiones y ajustes menores a lo largo del proceso, pero logró mantener el proyecto vivo y avanzando.

Las Jornadas Chilenas de Derecho de Aguas han ilustrado cuán lento y difícil ha sido este proceso legislativo. Las Jornadas se han realizado en la Facultad de Derecho de la Universidad Católica cada mes de noviembre desde 1998, ofreciendo un foro nacional para una discusión pública y académica sobre temas de legislación y políticas hidrológicas. La necesidad de un foro de este tipo se había hecho evidente a finales de los años noventa.[48] A pesar de su nombre, las Jornadas de Derecho de Aguas han reunido a especialistas en aguas de muchas disciplinas y organizaciones, incluyendo funcionarios de alto nivel de la DGA, de otras agencias gubernamentales chilenas y de grupos de interés del sector privado, así como académicos. Cada año desde 1998, las Jornadas han incluido ponencias y paneles de discusión sobre el estado de las reformas del Código de Aguas, generalmente centrándose en el tema de las tasas por el no uso, y cada año las presentaciones y argumentos han sido notablemente similares desde todos los sectores. Para el observador externo las discusiones a menudo han dado la impresión de ser repeticiones ceremoniales o rituales públicos más que debates sobre políticas públicas, y los asistentes regulares sienten la tentación de comprobar el calendario para recordar qué año es.

Desde 1996, la alternativa sugerida por los contrarios a la reforma —aparte de su opción preferida de que no haya reforma alguna— ha sido la noción ya familiar de impuestos a los derechos de agua. Estos impuestos serían como los impuestos a la propiedad de la tierra o de bienes raíces: los propietarios de derechos de agua pagarían estos impuestos todos los años, fuesen usados los derechos o no. Los impuestos a los derechos de agua se separarían de los impuestos a la tierra, y los impuestos a las tierras regadas se reducirían en la misma medida, de tal modo que el peso tributario total sobre tierras regadas no variase. Este sistema es el mismo que habían propuesto los economistas neoliberales del gobierno militar a finales de los años setenta (véase la historia legislativa comentada en el capítulo II).

Los argumentos hechos a favor de los impuestos a los derechos de agua a finales de los años noventa son un eco de los realizados veinte años antes. El primer argumento es que un sistema de impuestos fortalecería la seguridad legal de los derechos de agua privados, al reforzar su estatus como propiedad real, mientras al mismo tiempo se refuerza la libertad de los dueños de usar su propiedad tal como ellos estimen conveniente. En contraste, un sistema de tasas por el no uso aumentaría el escrutinio gubernamental respecto del uso privado de las aguas y fortalecería la idea de que los recursos hídricos son propiedad pública, a la cual los titulares de derechos privados se otorgan acceso. El segundo argumento es que los impuestos proveerían incentivos económicos más directos para que los propietarios de derechos de agua los usen eficientemente, o para que los vendan cuando no están siendo usados, aclarando, de esta forma, las señales de precios y fomentando las fuerzas del mercado. Tal como vimos en el capítulo II, los economistas del gobierno militar alegaron originalmente que éste era el mecanismo clave para crear un mercado de aguas eficaz.

Estos argumentos sirven para defender el actual marco legal y económico —tanto del Código de Aguas como de la Constitución en general— más que para cuestionarlo. No es sorprendente, por lo tanto, que los que proponen con más fuerza los impuestos a los derechos de agua hayan sido los más firmes creyentes en las posiciones económicas e ideológicas neoliberales, a finales de los años noventa exactamente igual que a finales de los años setenta. Estos defensores incluyen el Instituto Libertad y Desarrollo, un centro neoliberal de análisis de políticas públicas íntimamente relacionado con el partido más derechista del espectro político chileno, la Unión Demócrata Independiente (UDI) y *El Mercurio,* el periódico más influyente y conservador de Chile.[49]

Lo que parece más sorprendente, dada la hostilidad de los agricultores chilenos respecto a los impuestos a los derechos de agua, es que dos influyentes portavoces de los usuarios de aguas agrícolas han estado entre los líderes de los defensores de tales impuestos. Ellos son Luis Simón Figueroa, el abogado cuya advertencia sobre planificación gubernamental al ataque fue citada anteriormente, y Fernando Peralta, un ingeniero que ha sido el presidente de la Confederación de Canalistas de Chile desde los años ochenta (el gremio y grupo de interés más grande que representa a los regantes). Parte de su argumento es que con el actual sistema los agricultores son los únicos usuarios de aguas que ya pagan impuestos a los derechos de agua, aunque sea indirectamente a través de los impuestos a la tierra, ya que la tierra regada es mucho más valiosa que la no regada y es evaluada como corresponde.[50]

A pesar de sus posiciones como portavoces para el sector agrícola, sin embargo, pocos agricultores apoyan el argumento de Figueroa y Peralta. La explicación de esta aparente paradoja es que ambos son firmes creyentes en los principios de libre mercado del Código de Aguas, y que defender el modelo de libre mercado es una prioridad más alta que proteger los intereses inmediatos o percibidos de los agricultores. Más aún, ambos son personas políticamente astutas y muy conscientes del poder retórico de los impuestos a los derechos de agua, tal como se discute más adelante.

Junto con los neoliberales más dogmáticos, otros economistas chilenos recientemente también han planteado cuestionamientos respecto de la lógica y eficiencia económica de las tasas por no uso propuestas. En el año 2000, tanto en la Comisión de Hacienda del Senado como más tarde en el Senado pleno, los senadores discutieron los incentivos perversos creados por el pago de una tasa por *no* usar un recurso: con toda seguridad, argumentaban algunos, esto fomentaría la ineficiencia económica al promover un uso descuidado del agua.[51] Varios participantes en este debate tenían formación como economistas, y sus preocupaciones eran compartidas por miembros de la Concertación, así como de la oposición.

La discusión en el Senado fue influida por un documento escrito por dos respetados economistas de la Universidad de Chile, quienes analizaron las reformas propuestas por el gobierno a petición de un senador partidario del gobierno. Estos economistas argumentaron que la propuesta era «subóptima» y que una solución «definitivamente más conveniente» sería la imposición de impuestos a los derechos de agua tanto si eran utilizados como si no.[52] También criticaron la posición del gobierno respecto a que la propiedad concentrada de derechos de agua no consuntivos en las manos de ciertas empresas eléctricas fuera una razón para reformar el Código de Aguas. En vez de eso, argumentaron que tales problemas deberían ser afrontados a través de las leyes chilenas antimonopolio. Estas críticas fueron un golpe particularmente duro para la postura del gobierno porque los dos economistas en cuestión eran considerados políticamente cercanos a la Concertación.[53]

Como respuesta, la DGA sólo podía repetir los argumentos realizados tantas veces durante los veinte años anteriores. La agencia dijo que un sistema de impuestos a los derechos de agua era atractivo en teoría, pero demasiado difícil y costoso de aplicar en la práctica, por lo menos en el corto plazo. Tal sistema requeriría determinar los valores de cientos de miles de derechos de agua diferentes en todo el país; crear y mantener una base de datos de todos los títulos legales a aquellos derechos;[54] reevaluar los valores de las tierras regadas a lo ancho y largo del país; y vencer la resistencia política de muchos miles de usuarios de aguas, tanto regantes como otros. Éstos eran los mismos obstáculos administrativos, técnicos, políticos y presupuestarios que habían desalentado al gobierno militar veinte años antes, tal como se comenta en el capítulo II. En contraste, las tasas por no uso se aplicarían a un universo mucho más pequeño de usuarios y, por lo tanto, serían más factibles de aplicar, particularmente porque la verdadera prioridad del gobierno eran los derechos de agua no consuntivos, y estaba dispuesto a diseñar la reforma de tal manera que efectivamente la vasta mayoría de los poseedores de derechos consuntivos quedaran eximidos del pago de tasas.[55]

PROS Y CONTRAS DE LOS INSTRUMENTOS ECONÓMICOS

En resumen, se han dado argumentos plausibles tanto a favor como en contra de cada uno de los instrumentos económicos propuestos: cobrar tasas por el no uso de los derechos de agua frente a imponer impuestos a la propiedad de los derechos, tanto si estos derechos se utilizan como si no. Ambas alternativas implicarían redefinir las reglas que afectan a los derechos de propiedad a las aguas para mejorar los incentivos económicos para el uso y asignación de éstas.

Para recapitular brevemente, los argumentos del gobierno a favor de las tasas por el no uso en vez de impuestos a los derechos de agua han sido los siguientes:

- Las tasas por el no uso son un primer paso en la reforma, que podrían ser aplicadas en el corto plazo, que mejorarían la eficiencia en el uso del agua, y que no significan descartar instrumentos económicos más ambiciosos y sofisticados en el futuro.
- Los impuestos u otros gravámenes por el uso del agua serían un mecanismo más difícil y complejo de instaurar, y requerirían una voluntad política más fuerte, más capacidad técnica y administrativa, y un presupuesto mayor.
- Ya existe un consenso social y político bastante amplio respecto a que la especulación y el acaparamiento son aspectos inaceptables del Código de Aguas, y las tasas por el no uso se hacen cargo de estos aspectos de forma directa.
- Las tasas por el no uso impondrían menos restricciones sobre los derechos de agua existentes y, de esta manera, suscitan temas constitucionales de rango más estrecho.
- En la práctica, las tasas por el no uso afectarían a los derechos de agua no consuntivos mucho más que a los derechos consuntivos, y, por lo tanto, los intereses agrícolas no deberían poner objeciones y la aplicación debería ser relativamente manejable.

Los argumentos a favor de los impuestos a los derechos de agua, hechos por los oponentes políticos al gobierno y por otros economistas, han sido los siguientes:

- Las tasas por el no uso no serían, de hecho, más fáciles de aplicar que los impuestos, porque ambas medidas requieren información técnica y legal, así como una capacidad administrativa, muy similares.

- Las tasas por el no uso crearían incentivos perversos que fomentarían el uso ineficiente de los derechos de agua, mientras que los impuestos proveerían claros incentivos económicos para un uso y asignación eficiente de las aguas.

- Los impuestos fortalecerían la seguridad legal de los derechos de agua al reforzar su estatus como propiedad privada.

- Los impuestos beneficiarían a los agricultores, actualmente los únicos usuarios de aguas que ya pagan impuestos por los derechos de agua, en forma indirecta a través de impuestos más altos por las tierras regadas.

- Si los derechos de agua no consuntivos y el poder monopolístico en el sector eléctrico son el primer objetivo de la reforma, entonces ésta debería ser diseñada para alcanzar este objetivo directamente en vez de manipular el sistema de derechos de agua en su conjunto.

EL TEMA DE FONDO

El tema de fondo, sin embargo, es éste: incluso si aceptamos las críticas respecto a las tasas por no uso como bien fundamentadas, tal como yo lo hago, los impuestos a los derechos de agua en Chile son una falsa alternativa: son atractivos en teoría y retórica pero imposibles en la práctica, por lo menos en el futuro inmediato. Los mismos factores que hundieron estos impuestos a finales de los años setenta existen todavía. Instaurar un sistema de impuestos a los derechos de agua exigiría un esfuerzo político, administrativo, legal y técnico masivo y a nivel nacional: para establecer el sistema en primer lugar y luego para mantenerlo. Crear y hacer funcionar un sistema así requeriría tanta discrecionalidad administrativa como un sistema de tasas por el no uso, a pesar de los alegatos que afirman lo contrario que hacen algunos de los antirreformistas, y, por lo tanto, estaría igualmente expuesto al abuso burocrático o a la corrupción.

111

A pesar de que los neoliberales y algunos otros economistas están a favor de estos impuestos por razones teóricas, no hay razón para creer que los políticos de derecha o los grupos de interés del sector privado pudieran apoyar una reforma tan ambiciosa y controvertida; de hecho, sería casi milagroso. Es difícil imaginar qué irresistible presión política podría hacer que los actuales propietarios actúen contra sus propios intereses materiales inmediatos. Es tan cierto hoy como lo fue hace veinte años que los agricultores chilenos echarían mano a sus escopetas antes que pagar nuevos impuestos a los derechos de agua, cualquiera que sea el argumento en el sentido de que estos impuestos beneficiarían a la agricultura en relación con otros sectores económicos usuarios de agua. Para los grandes usuarios no agrícolas de agua, tales como las empresas mineras y eléctricas, el *statu quo* ha sido altamente benéfico, aunque a veces ellos admitan que éste está basado en una teoría económica errónea. Más aún, los políticos conservadores que ya han discutido la constitucionalidad de imponer tasas a los derechos de agua futuros casi seguramente discutirían la imposición de impuestos a los derechos existentes, y esto con un argumento constitucional más fuerte. En vista de toda esta oposición, el gobierno democrático actual tiene mucho menos poder para imponer su voluntad que el que tenía el gobierno militar veinte años atrás.

En breve, la noción de impuestos a los derechos de agua es un recurso retórico y una táctica política más que una contrapropuesta. Los obstáculos para aplicar tales impuestos son tan elevados que es difícil evadir la conclusión de que al menos algunos de sus patrocinadores están siendo deliberadamente insinceros, si no hipócritas. Tal como el abogado jefe de la DGA indicó a finales del año 2001, insistir en los impuestos en vez de en las tasas por el no uso, en el Chile actual, es realmente oponerse totalmente a cualquier tipo de reforma.[56]

Reformar el Código de Aguas de Chile después del retorno del país a la democracia ha demostrado ser mucho más difícil de lo que el gobierno había esperado y los observadores extranjeros han supuesto. Después de más de diez años de esfuerzos sostenidos, tanto los términos del debate como la amplitud de las reformas propuestas se han reducido considerablemente. Ha habido un acuerdo político generalizado acerca de la necesidad de cambiar los incentivos económicos para el uso del agua, lo que requeriría algunos cambios en las normas legales que definen los derechos de agua, pero hasta ahora ha sido imposible llegar a un acuerdo sobre los aspectos específicos. El destino de incluso la más reciente y modesta versión de la reforma propuesta sigue siendo incierto.

Vuelvo a estos temas en el capítulo de las conclusiones, donde discuto su significación e implicaciones para la evaluación general del modelo chileno de gestión del agua. Antes de esto, sin embargo, en el capítulo IV examino la evolución de la comprensión y de la investigación respecto de los resultados empíricos del modelo.

IV. Los resultados de los mercados de aguas chilenos: investigaciones empíricas desde 1990

E l mercado para los derechos de agua ha sido la característica del Código de Aguas de Chile de 1981 que ha atraído más atención con diferencia. Esto es especialmente cierto en círculos internacionales, donde el Código de Aguas chileno ha sido percibido en lo fundamental como sinónimo de los mercados de aguas chilenos y del comercio de derechos de agua. Otros temas en torno a la gestión del agua y al actual marco institucional han sido secundarios en las investigaciones académicas y sobre políticas públicas. Más aún, la mayor parte de las investigaciones hasta la fecha han sido realizadas por economistas, lo que ayuda a explicar el enfoque en los mercados y el comercio.

El funcionamiento y los resultados de los mercados de aguas chilenos han sido temas altamente politizados tanto dentro como fuera de Chile. Esto no es sorprendente: el Código de Aguas es un símbolo tan puro de la teoría e ideología de libre mercado que tanto sus defensores como sus críticos han tenido grandes intereses en juego puestos en si los mercados resultantes son considerados un éxito. Las investigaciones empíricas y académicas sobre estos mercados han quedado muy rezagadas con respecto a los debates sobre políticas públicas y han sido evidentemente una prioridad mucho menor para la mayoría de las personas involucradas.

Dentro de Chile el tema se ha politizado aún más porque está íntimamente relacionado con el debate nacional sobre la reforma del Código de Aguas (véase el capítulo III). Ambas partes en ese debate han tenido fuertes motivos para sustentar sus posiciones con alegatos respecto a cuán bien o cuán pobremente ha funcionado en la práctica el mercado de aguas. En el escenario internacional de las políticas hidrológicas, el asunto se ha politizado desde que el Banco Mundial a comienzos de los años noventa empezó a publicitar el Código de Aguas de Chile como un modelo de reforma exitosa (véase el capítulo I). En América Latina, el Banco Interamericano de Desarrollo ha tendido a seguir el liderazgo del Banco Mundial en este ámbito, ya que tiene menos capacidad de investigación y analítica que su organización hermana mayor. Esto provocó una fuerte reacción crítica de expertos en aguas de otras organizaciones internacionales. La Comisión Económica para América Latina y el Caribe de las Naciones Unidas, que está en Santiago de Chile, fue especialmente activa en este sentido.

Debido al retraso en investigaciones empíricas, la mayor parte de la discusión sobre los mercados de aguas chilenos ha sido larga en argumentos teóricos o ideológicos y corta en información fiable. Esto fue especialmente cierto en la primera mitad de la década de los noventa. Sin embargo, la cantidad de investigaciones aumentó lentamente a lo largo de los años noventa, y para finales de la década el nivel de comprensión empírica había aumentado de forma significativa. Es notable que la mayor parte de esta investigación empírica ha sido llevada a cabo por extranjeros más que por chilenos. A pesar de que esto se debe en parte a que los fondos para la investigación en Chile son limitados, un factor aún más importante ha sido la naturaleza politizada del debate nacional sobre políticas públicas. Con pocas excepciones, los análisis chilenos han sido motivados por las reformas legislativas propuestas por el gobierno —ya sea a favor o en contra—

más que por el objetivo de crear conocimiento original y empírico para la discusión pública.[1]

En este capítulo reviso la evolución de las investigaciones empíricas desde 1990; esto es, indago en cómo han operado los mercados en la práctica más que en teoría.[2] Los informes publicados han cambiado de tono y de contenido desde comienzos hasta finales de la década de los noventa, desde exageradas afirmaciones de éxito hasta evaluaciones más equilibradas de resultados mixtos. Para la segunda mitad de la década ya había emergido una buena medida de consenso sobre las principales características de los mercados chilenos, por lo menos entre personas que estaban bien informadas, a pesar de que seguía existiendo desacuerdo respecto a la evaluación general, y sobre las implicaciones en términos de las políticas públicas que deberían ser su consecuencia.

El creciente consenso sobre los resultados empíricos y los hechos básicos de los mercados de aguas chilenos apunta a un problema diferente: los investigadores han hecho tanto hincapié en la compra y venta de los derechos de agua que prácticamente han ignorado otros temas que son por lo menos igual de críticos que lo primero para la gestión integrada de los recursos hídricos. Estos temas ausentes incluyen los impactos sobre la equidad social, la coordinación de usos múltiples de las aguas, la gestión de cuencas hidrográficas, la resolución de conflictos de aguas y la protección ambiental. Más aún, casi todas las investigaciones sobre los mercados de aguas chilenos se han centrado en los derechos de agua *consuntivos*. A pesar de que los derechos de agua no consuntivos han presentado serios problemas de especulación privada, de control monopolístico, y de conflictos en el nivel de las cuencas hidrográficas entre agricultores y empresas hidroeléctricas, estos derechos muy pocas veces se han comerciado en los mercados. En consecuencia, los derechos no consuntivos se han dejado de lado en la mayoría de los estudios empíricos.

En la parte final de este capítulo planteo los temas ausentes y la evidencia disponible sobre qué suerte han corrido con el modelo chileno de leyes de aguas. Defenderé que el enfoque obsesivo en el comercio de los derechos de agua, con exclusión de otros temas de la gestión del agua y de las instituciones, refleja el predominio de perspectivas económicas parciales entre aquellos que han examinado la experiencia chilena.

Los trabajos citados en este capítulo incluyen esencialmente todas las investigaciones relevantes publicadas en inglés y castellano. Mi objetivo aquí no es proporcionar un resumen exhaustivo sino destacar las tendencias y características generales de estas investigaciones. Para más detalles los lectores tendrían que consultar dichos trabajos.

LA TENDENCIA DOMINANTE: DE PARTIDARIOS MILITANTES A UN MAYOR EQUILIBRIO

La tendencia general a lo largo de la década de los noventa discurrió desde afirmaciones exageradas sobre el notable éxito de los mercados de aguas chilenos hasta evaluaciones más creíbles de sus resultados mixtos. Durante la primera mitad de la década, los relatos publicados tendían a ser altamente entusiastas. El sesgo ideológico de estos informes y su carencia de sustento empírico se hacían evidentes por sus excesivas afirmaciones de éxito en todos los aspectos: supuestamente el mercado de aguas se había traducido en un activo comercio de derechos de agua, en una mayor eficiencia en el uso y asignación de las aguas, en beneficios sociales y económicos para los agricultores pobres, y en menos conflictos hídricos. No se reconocían ni problemas ni dificultades significativas.

Todos estos trabajos tempranos fueron publicados por economistas asociados al Banco Mundial, ya sea funcionarios o consultores. Es importante no simplificar en exceso la postura del Banco Mundial respecto de las políticas hidrológicas y la economía del agua. A pesar de que el Banco es una organización de gran tamaño, no es monolítica, e incluye personas con un amplio abanico de puntos de vista. En cuanto a los mercados de aguas chilenos, la calidad de los análisis y de las publicaciones del Banco varían bastante: algunos son razonables y bien sustentados, otros son engañosos o simplemente erróneos. Por desgracia, a menudo es difícil que un lector distinga la diferencia, sobre todo porque la mayoría de estas publicaciones comparten un tono de asertiva afirmación. En todo caso, a pesar de las variaciones, estas publicaciones comparten una perspectiva económica estrecha, y su presentación dominante respecto al modelo chileno es siempre positiva.

Varios ejemplos de esta temprana oleada de afirmaciones exageradas se publicaron en 1994. Uno fue un informe del Banco Mundial sobre gestión de aguas y riego en Perú, escrito por el economista del Banco Mateen Thobani. Thobani desempeñó un papel activo y visible en la difusión de los supuestos beneficios del modelo chileno en Perú y en otros lugares. En este informe, discute un nuevo borrador de ley de aguas para Perú que había sido diseñado a partir del Código de Aguas chileno; más aún, el borrador fue escrito por consultores chilenos que habían sido parte del equipo que redactó la legislación chilena a finales de los años setenta.

La descripción que hace Thobani del sistema chileno es selectiva y engañosa. Según Thobani, la ley de aguas chilena «ha mejorado con éxito el suministro y el uso del agua, ha estimulado la inversión privada y ha reducido los conflictos por el agua». Además, afirma que la legislación chilena ha aumentado el valor del agua, reducido el daño ambiental, y beneficiado a los agricultores pobres a expensas de «los usuarios de aguas políticamente influyentes». No proporciona ni cita ninguna evidencia para sustentar estas afirmaciones, que parecen estar basadas en argumentos teóricos respecto de los derechos de propiedad.

Al mismo tiempo, el informe de Thobani presenta argumentos a favor de varias disposiciones cruciales en el borrador de ley peruano, que eran de hecho muy distintas de las del modelo chileno, a pesar de que no menciona las diferencias ni explica su significación. Por ejemplo, el borrador de ley peruano estaba basado en un sistema de impuestos a la propiedad sobre los derechos de agua, en subastas públicas de los nuevos derechos de agua y en una fuerte regulación del poder monopolístico sobre los derechos de agua no consuntivos, e incluía una campaña de información pública para discutir la nueva ley. Todas estas disposiciones no existían en Chile y ya habían demostrado ser política o administrativamente inviables allí, pero fueron presentadas en Perú como si fueran simplemente parte del paquete chileno.[3]

Otro ejemplo es un documento escrito en 1994 por Mark Rosegrant, un economista que trabaja en el Instituto Internacional de Investigación sobre Política Alimentaria en Washington, y Hans Binswanger, un economista del Banco Mundial. En este trabajo (que ya discutimos en el capítulo I), Rosegrant y Binswanger presentan un argumento completo a favor de los mercados de derechos de agua comerciables en los países en vías de desarrollo, y se refieren en repetidas ocasiones a Chile para apoyar su caso. En Chile, dicen, tales mercados de derechos de agua «han estado operando de modo efectivo con tecnología de distribución del agua relativamente poco sofisticada» y han «reducido de forma notable el número de conflictos de aguas que llegan a los tribunales».

Rosegrant y Binswanger se refieren a potenciales problemas de inequidad social y utilizan el ejemplo de Chile para descartar las preocupaciones. Mencionan que algunas personas se han preocupado de que las diferencias de riqueza o poder puedan favorecer a los grandes usuarios de aguas no agrícolas, y perjudicar a los pequeños agricultores, si los derechos de agua son transformados en bienes plenamente comerciables. Concluyen, sin embargo, que «la evidencia de Chile, donde existen mercados activos [...] demuestra que esto no ha ocurrido». También se refieren a las preocupaciones que han surgido respecto a la influencia del poder de mercado en la asignación inicial de derechos de agua; y añaden que esto no fue un tema abordado en Chile porque los derechos de agua se habían asignado como parte de la reversión de la reforma de la tenencia de la tierra realizada por el gobierno militar, que «fue considerada como una mejoría en equidad».[4] (Esta última afirmación es simplemente errónea: la gran mayoría de los derechos de agua en Chile de hecho *no* fueron asignados como parte del término de la Reforma Agraria, tal como explico en el capítulo II, y de nuevo más adelante en este capítulo. Este error, sin embargo, ha sido repetido de forma rutinaria en publicaciones posteriores y ha llegado a ser uno de los mitos comunes respecto del caso chileno. De forma similar, los lectores no deberían aceptar sin mayores cuestiona-mientos la afirmación que se hace respecto a que la redistribu-ción de la tierra y de los derechos de agua realizada por los mili-tares en los años setenta dejó a los pequeños agricultores en una mejor situación, o que en Chile la situación fue percibida de esta manera. Tal declaración es, en el mejor de los casos, discutible, y en Chile se entendería como una opinión política más que como un comentario objetivo).[5]

En resumen, la descripción que hacen Rosegrant y Binswan-ger de los mercados de aguas es uniformemente de color de rosa. Esto refleja su principal fuente de información: se basan contun-dentemente en el trabajo de Renato Gazmuri, un economista y político chileno. Gazmuri es un entendido y tiene experiencia, pero no se puede decir que sea un observador imparcial. Fue un funcionario civil de alto nivel en el Ministerio de Agricultura del gobierno militar en el período entre mediados y finales de los años setenta, durante el cual fue uno de los miembros del equipo neoliberal que revirtió la Reforma Agraria, liberalizó el sector agrícola y diseñó el Código de Aguas de 1981. Tal como se dis-cute en el capítulo II, éste fue un período y un proceso altamente ideológico. Durante los primeros años de la década de los noven-ta, Gazmuri trabajó como consultor internacional en políticas hidrológicas en varios otros países (incluido México, que pro-mulgó una nueva ley de aguas en 1992, después de considerar y rechazar el modelo chileno). Gazmuri hizo equipo con Rosegrant para publicar varios trabajos que difundieron las noticias sobre la «historia de éxito» chilena.[6]

Los puntos de vista resumidos anteriormente fueron los pri-meros en ser publicados en inglés, y en los círculos internacio-nales éstos dominaron los términos iniciales del debate. Luego empezaron a desgranarse, sin embargo, a medida que se realiza-ban estudios empíricos más cuidadosos. A partir de 1995, las crecientes evidencias provenientes tanto de investigadores chile-nos como de extranjeros —incluyendo a algunos que eran finan-ciados por el Banco Mundial— llevaron a evaluaciones más equilibradas sobre las limitaciones de los mercados de aguas chilenos.

Un ámbito en el cual la sabiduría convencional experimentó un cambio fue en la cuestión de si los mercados chilenos eran «activos», tal como pretendían sus primeros promotores. El primer estudio empírico que puso en tela de juicio tal afirmación fue un trabajo que publiqué en Chile a finales de 1993, que exponía los resultados de dos años de trabajo de campo realizado en Chile para un doctorado (Ph. D.) en derecho y economía política en la Universidad de California en Berkeley. El hecho de que este trabajo fuera publicado en castellano limitó su circulación fuera de América Latina, a pesar de que en Chile tuvo un impacto duradero. Esta investigación estuvo disponible en inglés en 1995 y fue posteriormente publicada en una versión expandida y actualizada en 1997-1998.[7]

En estas publicaciones defendí que la evidencia disponible, cuantitativa y cualitativa, mostraba que las transacciones de derechos de agua eran de hecho bastante poco comunes en la mayor parte de Chile, y, por lo tanto, como regla general, los mercados de aguas chilenos eran relativamente inactivos. Más aún, la gran mayoría de las transacciones de derechos de agua ocurrieron *dentro* del sector agrícola y no implicaron usos no agrícolas de las aguas. Éstas eran observaciones empíricas más que una crítica del mercado de aguas, y gran parte de mi análisis buscaba explicar la observada inactividad de los mercados de aguas indagando sobre los muchos factores que limitaban las transacciones de derechos de agua.

Estos factores limitantes incluyen (en ningún orden particular de importancia):

- Limitaciones impuestas por la geografía física (los ríos chilenos son cortos y con pendientes y los trasvases entre cuencas son costosos) y por infraestructura rígida o inadecuada (por ejemplo, canales con marcos partidores de las aguas fijos y muy pocos embalses de almacenamiento).
- Complicaciones legales y administrativas, particularmente la incertidumbre y confusión sobre los títulos de los derechos de agua y el sistema de su registro.

- Resistencia cultural y psicológica a tratar el agua como una mercancía, especialmente por parte de los agricultores.
- Señales de precios inconsistentes y variables respecto a la real escasez y el valor económico del agua (por ejemplo, los propietarios de derechos de agua raramente están dispuestos a vender, incluso si sus derechos no están siendo utilizados, y hasta muy recientemente las aguas subterráneas han sido una alternativa no explotada).[8]

Los primeros dos factores en particular —problemas de infraestructura y de títulos legales— han sido temas comunes en todos los análisis subsiguientes de los mercados de aguas chilenos, tal como se discute más adelante.

La actividad de los mercados de aguas, en términos del número o de la frecuencia de las ventas de derechos de agua, fue sólo una manera de evaluar los resultados del Código de Aguas, y no necesariamente la más importante. Un tema más crítico fue la eficacia de los incentivos de mercado de la ley para aumentar la eficiencia del uso y de la asignación del agua, y de forma específica para fomentar la inversión en la conservación del agua de tal modo que el agua ahorrada pudiera ser vendida. Éste fue el principal argumento económico a favor del nuevo Código de Aguas a finales de los años setenta, tal como se ha descrito en el capítulo II.

Mi argumento era que estos incentivos de mercado habían sido casi enteramente ineficaces en la práctica. Los propietarios de derechos de agua en Chile rara vez venden algún derecho no utilizado o supuestamente «excedente»; en lugar de eso, conservan tales derechos para protegerse de años de sequía ocasionales o porque saben que el valor de esos derechos aumentará con el tiempo. Incluso donde los agricultores han invertido en un uso más eficiente de las aguas, su motivo ha sido mejorar sus rendimientos agrícolas o expandir sus superficies de cultivo, y no han vendido ningún excedente de agua resultante. Es más, desde 1985 el gobierno chileno ha vuelto a subsidiar la inversión privada en riego, en un reconocimiento implícito de que, al contrario de la intención de los economistas que redactaron el Código de

Aguas, el mercado de aguas no ha proporcionado suficientes incentivos. La ineficacia de estos incentivos, por supuesto, se debió en parte a la ausencia de cualquier tipo de impuestos a los derechos de agua o de otros costes del dominio, tal como los neoliberales habían alegado infructuosamente a finales de los años setenta.[9]

Mis argumentos en esta investigación fueron considerados «antimercado», en particular en Chile, pero esto reflejaba la naturaleza politizada del debate más que la investigación misma. De hecho, mis críticas no estaban dirigidas a los mercados chilenos, sino a las pretensiones exageradas que se estaban haciendo respecto a su éxito. Yo estaba de acuerdo en que los mercados tenían la ventaja de permitir una reasignación flexible de los recursos hídricos, aun cuando esta ventaja era todavía más potencial que real a mediados de la década de los noventa. Predije que los mercados de aguas se harían más activos a medida que pasara el tiempo y en ciertas regiones de Chile, a medida que las demandas de agua y la relativa escasez aumentaran lo suficiente como para superar los obstáculos y los costes de transacción enumerados anteriormente. En resumen, concluí que los beneficios económicos más importantes del Código de Aguas no han sido la consecuencia del comercio de derechos de agua o de los incentivos de mercado, sino, en vez de eso, de la mayor seguridad legal de los derechos de propiedad, que ha estimulado la inversión privada en el uso del agua.

La próxima investigación empírica fue realizada por Robert Hearne para otra disertación doctoral, esta vez en economía agrícola en la Universidad de Minnesota. Hearne estudió cuatro zonas en Chile central y norte, seleccionadas precisamente porque se esperaba que tuvieran mercados de aguas activos. En cada caso el clima era árido, el agua escasa, y la agricultura de riego estaba bien desarrollada y era comercialmente rentable (el más austral de los cuatro casos incluía parte del área metropolitana de Santiago). La investigación de Hearne mostró, sin embargo, que había muy poco comercio de derechos de agua en tres de las cuatro áreas de estudio. La principal explicación era que la infraestructura rígida de canales hacía costoso cambiar la distribución de las aguas, sobre todo entre agricultores. La única excepción era la cuenca del río Limarí en el centro-norte de Chile, algo que desarrollo en mayor profundidad más abajo, ya que ha llegado a ser ampliamente conocido como *el* ejemplo de los mercados de aguas chilenos (véase el mapa 1).

Hearne argumentó que el mercado de aguas había llevado a beneficios económicos en algunas áreas, incluyendo mayor eficiencia económica debido a trasvases a usos de más alto valor, esto es, desde la agricultura hasta el abastecimiento urbano. (Incluso aquí, sin embargo, los trasvases involucraban principalmente títulos de papel de derechos de agua que habían estado durante mucho tiempo sin uso, más que una reasignación física de recursos hídricos). En general estaba a favor del modelo chileno. Sin embargo, su trabajo empírico ayudó a confirmar la visión de que las ventas y transacciones de derechos de agua eran la excepción más que la regla en la mayor parte de Chile. Su conclusión tenía un peso adicional porque el Banco Mundial había financiado su investigación y él mismo era consultor del Banco Mundial en ese momento.[10]

Esa conclusión pronto se hizo parte de la sabiduría convencional respecto a los mercados de aguas chilenos. Obligó a los defensores del Código de Aguas, tanto los chilenos como los extranjeros, a cambiar sus argumentos sobre el éxito del código. A partir de 1995, muchos de sus partidarios dejaron de decir que el mercado de aguas era activo; en vez de eso, plantearon que, a pesar de que el mercado era inactivo, era, sin embargo, eficiente. De hecho, según ellos, la ausencia de transacciones de derechos de agua mostraba que la asignación de recursos hídricos ya era eficiente. Esto se transformó en un argumento común en los debates chilenos sobre la reforma del Código de Aguas (véase el capítulo III).

Los consultores chilenos Mónica Ríos y Jorge Quiroz repitieron este argumento en otra publicación del Banco Mundial, en 1995, en la cual revisaban los principales temas que ponía en relieve el mercado de derechos de agua chileno. Ríos y Quiroz no realizaron ninguna nueva investigación empírica: su revisión está basada en entrevistas y en la limitada literatura existente,

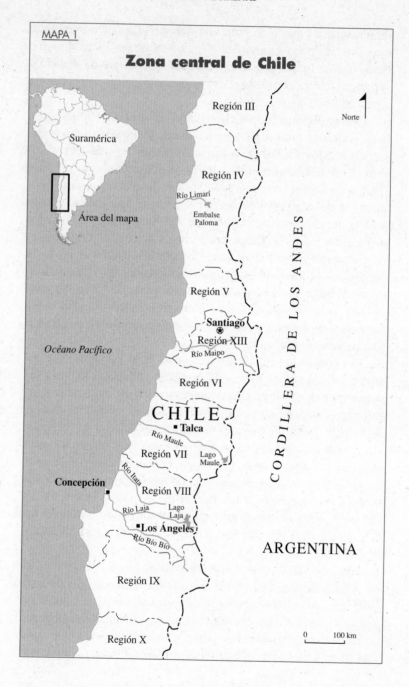

resumida hasta ahora en este capítulo. Su revisión es bastante equilibrada, y su análisis es similar al de Hearne. Ríos y Quiroz cuestionan la importancia de la ausencia de ventas de derechos de agua, por la razón recién mencionada, y argumentan que el mercado ha sido activo en arriendos temporales. Esta afirmación es probablemente correcta, a pesar de que no ofrecen evidencias, ya que los agricultores en el sector rural chileno desde hace mucho tiempo han realizado intercambios temporales de derechos de agua. Normalmente, tales intercambios son medidas informales y facilitadas por las asociaciones locales de regantes, que suministran el agua. En todo caso, no hay razón para atribuir estos arriendos al actual Código de Aguas, por lo menos hasta que la investigación empírica no demuestre otra cosa.

La conclusión general de Ríos y Quiroz es que «el sistema en Chile ha funcionado razonablemente bien» y que los problemas identificados deberían ser afrontados a través de un «"ajuste fino" del sistema más que a través de una reforma drástica». Los problemas que ellos describen incluyen la vaga definición de los derechos de agua no consuntivos, que causaban conflictos con los derechos consuntivos, y los «costes de transacción que surgen de la legalización incompleta de los títulos de derechos de agua, de la falta de infraestructura y de problemas del tipo *free rider*». Entre las «enmiendas menores» que recomiendan está una tasa o tarifa de usuario para todos los derechos de agua (en 1995 la dificultad política de un tan «menor» cambio todavía no había sido demostrada, tal como se plantea en el capítulo III).[11]

El gobierno chileno respondió al cambio en sabiduría convencional haciendo de la inactividad del mercado de aguas una de las principales razones para reformar el Código de Aguas. En su paquete de reformas legislativas propuestas en 1996, el gobierno argumentó que la definición *laissez faire* de los derechos de agua que se hacía en el Código de Aguas —esto es, que no incluye ni costes financieros ni obligaciones legales— había distorsionado las señales de precios y los incentivos económicos y, por lo tanto, había distorsionado el mercado. Según se alegaba, las reformas harían más dinámico y más eficiente el mercado (véase el capítulo III). La Dirección General de Aguas (DGA) desarrolló este análisis de las deficiencias del mercado en su Política Nacional de Aguas y otros documentos relacionados de la agencia desde el año 1996 en adelante, tal como se plantea más abajo. La DGA dirigió estudios internos sobre las transacciones de derechos de agua para confirmar estos argumentos sobre el funcionamiento del mercado, pero no publicó evidencia empírica durante varios años.[12]

En los círculos internacionales, la sabiduría convencional sobre Chile también se vio afectada por la contraofensiva liderada por la Comisión Económica para América Latina y el Caribe de las Naciones Unidas (CEPAL) a mediados de los años noventa. Los expertos en aguas de la CEPAL y de otras organizaciones internacionales estaban profundamente preocupados por la manera en que el Banco Mundial y el Banco Interamericano de Desarrollo estaban promoviendo el modelo chileno en otros países en vías de desarrollo, tanto en América Latina como en otras partes. Estos escépticos incluían a miembros de la plantilla de ambos bancos. Los funcionarios de la CEPAL Miguel Solanes, un abogado de aguas argentino, y Axel Dourojeanni, un ingeniero peruano, especialista en gestión de cuencas hidrográficas, fueron especialmente activos en movilizar la oposición. A pesar de que ellos mismos realizaron poca investigación empírica, recopilaron la información disponible para destacar las deficiencias del modelo chileno, y en reuniones y talleres de trabajo internacionales así como en artículos publicados, urgieron a otros países a adoptar un enfoque más equilibrado.

Los funcionarios de la CEPAL y otros expertos de aguas internacionales estaban familiarizados con los argumentos económicos y favorecían el uso apropiado de incentivos de mercado, pero no compartían los puntos de vista neoliberales más dogmáticos de muchos partidarios del modelo chileno. Por ejemplo, Solanes planteaba que Chile era el único país en el mundo que no imponía ninguna condición legal a los derechos de agua, y que esto iba contra la corriente de cientos, si no miles, de años de experiencia internacional. Desde su perspectiva, el punto esencial era que los derechos de agua tenían que estar sujetos a algún requerimiento de uso socialmente beneficioso, que entonces se podía hacer cumplir por la autoridad gubernamental; de otro modo, existía un peligro inminente de que los intereses públicos en la gestión del agua pudieran ser perjudicados por el poder monopolístico, la competencia desleal, la especulación, el acaparamiento y el daño ambiental. Solanes argumentaba que la ausencia de este requerimiento de uso beneficioso en Chile había llevado precisamente a estos problemas, en particular respecto a los derechos no consuntivos y al sector de la energía eléctrica.[13]

Después de 1995, no se hizo disponible ninguna otra investigación empírica hasta finales de la década, a pesar de que aparecieron algunas nuevas publicaciones que estaban basadas en las investigaciones existentes.[14] Mientras tanto, con la descripción de la inactividad de los mercados ampliamente aceptada, los investigadores en Chile comenzaron a desarrollar diagnósticos más sofisticados de las razones de esta inactividad y sobre el tipo de problemas a los que se necesitaba prestar atención. A pesar de esto, durante este período de finales de los años noventa, varios economistas asociados al Banco Mundial continuaron difundiendo los beneficios del modelo chileno, tal como se plantea en el capítulo I.[15]

PERSPECTIVAS CHILENAS RECIENTES: HACIA UN DIAGNÓSTICO COMPARTIDO

En este apartado resumo varias síntesis y perspectivas importantes sobre los mercados de aguas chilenos que han sido publicadas en Chile desde 1997. Estas publicaciones están disponibles solamente en castellano y son en gran medida desconocidas fuera de Chile. Representan el estado del conocimiento de los expertos chilenos mejor informados. En la mayoría de sus aspectos estos trabajos también confirman los análisis presentados en mis propios estudios unos pocos años antes, que eran conocidos por estos investigadores chilenos.[16]

En el período entre 1997 y 1998, el más prominente académico experto en derecho de aguas, Alejandro Vergara, publicó varios artículos que examinaban el funcionamiento del mercado de aguas. Vergara es un profesor de derecho en la Universidad

Católica de Santiago, así como un abogado de aguas en el ejercicio de la profesión. Su análisis estaba basado en una minuciosa revisión de la literatura existente y en su propia experiencia profesional. El punto de partida de Vergara es que Chile ya ha adoptado una legislación de derechos de agua que favorece más el libre mercado que la planificación gubernamental, y él no cuestiona o critica esta decisión. En lugar de eso, su propósito es poner en el tapete de discusión temas sobre cómo el mercado de aguas ha funcionado hasta ahora y sugerir las mejoras legales necesarias para que éste funcione mejor en el futuro.[17]

La observación inicial de Vergara es que «se estableció este libre mercado pero no se tomaron todas las medidas institucionales previas y necesarias para que el mercado funcionara adecuadamente».[18] La esencia de su argumento es que los derechos de agua en Chile *no* están definidos claramente, a pesar del principio general del Código de Aguas a favor de derechos de propiedad privados y comerciables. Tanto en términos legales como físicos, los derechos de agua son mucho más nebulosos de lo que parece en la superficie. Vergara identifica los siguientes problemas:

- El Código de Aguas no se hace cargo de las externalidades causadas por las transacciones de derechos de agua, ya sea impactos ambientales o efectos sobre terceros que afectan a otros usuarios de aguas. Es más, tanto Vergara como otros defensores del Código de Aguas han argumentado que las externalidades no han sido todavía un problema en Chile, precisamente porque el mercado de aguas ha sido muy inactivo.[19]

- Una gran cantidad de confusión legal rodea los derechos a caudales de retorno procedentes de los regantes aguas arriba. De acuerdo con el Código de Aguas, los usuarios aguas abajo no tienen derecho a estos caudales, a pesar de las muchas décadas de prácticas consuetudinarias en sentido contrario.

- El mantenimiento de registros y el registro mismo de títulos de derechos de agua son ampliamente reconocidos como completamente inadecuados. La gran mayoría de los derechos de agua en Chile no se inscriben formalmente; al contrario, son anteriores al Código de Aguas y están basados en legislación anterior o en prácticas consuetudinarias. A pesar de que estos derechos a menudo no tienen ningún apoyo documental, gozan de protección constitucional plena como derechos de propiedad. Sin embargo, los derechos no inscritos no pueden ser comprados ni vendidos, otro obstáculo a los mercados de aguas.[20]

- Muchos derechos de agua que tienen títulos legales formales tienen un contenido sustantivo que es discutido en la práctica. Por ejemplo, pueden estar definidos como derechos «permanentes» cuando de hecho el agua no está disponible todo el año.

- La infraestructura existente de canales y embalses es inadecuada para permitir muchos trasvases de aguas de un lugar a otro.

Vergara sostiene que hasta que estos problemas no sean afrontados, los mercados de aguas van a seguir siendo restringidos y con deficiencias y su potencial no se realizará.

Guillermo Donoso es un colega de Vergara en la Universidad Católica, y el economista académico más conocido en el campo de los mercados de aguas. Es un fuerte partidario de los mercados de aguas, y desde la perspectiva de la economía neoclásica ha evaluado cómo han operado estos mercados en Chile y qué factores han impedido que funcionen mejor. A mediados de la década de los noventa, el análisis de Donoso era casi enteramente teórico, como si fuese extraído de un libro de texto de economía, pero para finales de la década él también había hecho trabajo más empírico.[21]

En las I Jornadas Chilenas sobre Derecho de Aguas, en 1998, Donoso presentó una revisión del funcionamiento del mercado de derechos de agua y una identificación de sus problemas, basado en una revisión de la literatura académica y en los informes de varios consultores.[22] Su relato se hace eco del de Vergara y del mío en muchos aspectos. Comienza resumiendo los conflictivos puntos de vista sobre cuán activos han sido los mercados de aguas chilenos, concluyendo que a pesar de que hay algún espacio para el debate, está claro que los mercados existen en algún grado pero que varían en gran medida por cuenca hidrográfica y región geográfica: el mercado es más activo en áreas donde el agua es más escasa y durante períodos de sequía.

El grueso de este trabajo de Donoso considera los varios problemas y distorsiones que han afectado a los mercados de aguas chilenos. Primero discute problemas que afectarían a cualquier sistema de asignación de aguas, ya sea un mercado o administrado por el gobierno. Como Vergara, sostiene que el principal problema es la definición inadecuada de los derechos de agua, que ha causado externalidades negativas cuando los derechos han sido vendidos o transferidos, incluyendo la pérdida de, o la interferencia con, los caudales de retorno y filtraciones, la degradación de la calidad del agua (aunque en cierta medida este problema cae fuera de la jurisdicción del Código de Aguas) y la sobreexplotación de aguas subterráneas. También describe los inevitables costes de transacción causados por la necesidad de construir o modificar infraestructura física para redistribuir agua.

Donoso entonces describe los problemas que son particulares al mercado. El peor de estos problemas, desde su punto de vista, es la falta de información legal, económica e hidrológica adecuada sobre los derechos de agua. A pesar de que éste es también un problema para los sistemas de asignación que no son de mercado, él argumenta que es más grave para un mercado, porque un sistema descentralizado depende de forma más radical de información de buena calidad y ampliamente disponible. Algunos problemas íntimamente relacionados son la brecha entre los derechos nominales (es decir, derechos de papel) y los derechos reales (a veces llamados «wet water» en los Estados Unidos), y los conflictos causados por transacciones que involucran o afectan a los muchos miles de derechos consuetudinarios que no están inscritos. Por último, aborda el tema de la especulación y acaparamiento de los derechos tanto consuntivos como no consuntivos, los cuales, concluye, son temas menores.

En un trabajo posterior, Donoso presenta datos cuantitativos sobre las transacciones de derechos de agua en dos cuencas hidrográficas, las de los ríos Maipo y Limarí (ambas estudiadas por Hearne en 1993). Dado que la cuenca del río Maipo incluye el área metropolitana de Santiago así como agricultura de riego, muchas de las transacciones involucran a empresas de abastecimiento de agua en el sector urbano o empresas de desarrollo de bienes raíces que compran derechos de agua a agricultores (véase el mapa 1). Los datos muestran que sólo un muy pequeño porcentaje de los derechos de agua existentes se vende cada año y que los precios varían ampliamente, pero que ha existido alguna reasignación. El mercado en la cuenca del río Limarí es más activo y funciona mejor, por razones planteadas más adelante. A pesar de que el trabajo de Donoso no contiene argumentos o resultados que discutan lo que ya se sabe en Chile, es sin embargo notable simplemente por su descripción y análisis empíricos básicos.[23]

Finalmente, en 1999 dos expertos en aguas de la CEPAL publicaron un análisis exhaustivo del Código de Aguas chileno, que llevaba el sugerente subtítulo «Entre la ideología y la realidad».[24] Axel Dourojeanni y Andrei Jouravlev afirman que demasiados países en América Latina han mirado a Chile como el modelo de reformas legales y políticas de recursos hídricos sin conocer los problemas que ha causado el Código de Aguas o las controversias dentro de Chile sobre cómo resolverlos. Dourojeanni y Jouravlev tratan de rectificar esta omisión en un largo y sustantivo trabajo que está abundantemente salpicado con citas de los muchos trabajos a los que se hace referencia. Su documento está destinado principalmente a los lectores latinoamericanos fuera de Chile.

En primer lugar, describen los problemas con la asignación original de los derechos de agua: especulación, acumulación y acaparamiento, y excesivo poder monopolístico. Sostienen que estos problemas son graves en el caso de los derechos no consuntivos y en el sector eléctrico, y relativamente poco importantes en el caso de los derechos consuntivos y de la agricultura. Este capítulo también describe las reformas del Código de Aguas propuestas por el gobierno que pretenden corregir estos problemas.

En segundo lugar, Dourojeanni y Jouravlev analizan por qué los mercados de aguas han sido tan inactivos en Chile y por qué las transacciones de derechos de agua han sido tan poco comunes. Aquí repiten los análisis de estudios anteriores, ya discutidos en las páginas precedentes.

En tercer lugar, examinan los problemas causados por la inadecuada regulación de las externalidades por parte del Código de Aguas, tanto en el otorgamiento original de derechos de agua que hace el gobierno como en la subsiguiente transferencia de derechos de agua. Su discusión incluye varios tipos de externalidades:

- Caudales de retorno, esto es, las relaciones entre usuarios y derechos de agua aguas arriba y aguas abajo.
- Efectos dentro del cauce *(in-stream),* incluyendo la protección de los caudales mínimos para fines ambientales así como la coordinación de usos extractivos e *in-stream* (es decir, usos consuntivos y no consuntivos).
- Impactos en las «áreas de origen», en otras palabras, aquellas áreas cuyas reservas de agua son vendidas o exportadas; aquí la principal preocupación de los autores son las comunidades rurales agrícolas e indígenas.

En este contexto, Dourojeanni y Jouravlev también describen las debilidades de los procedimientos institucionales existentes para revisar los efectos sobre terceros y resolver conflictos.

En cuarto lugar, el trabajo concluye con un breve resumen de los logros económicos del Código de Aguas. El principal propósito de los autores, sin embargo, es contrarrestar las imágenes generalmente positivas que han dominado la mayoría de las descripciones de la experiencia chilena, y en esto ellos difieren de Vergara y Donoso, que apoyan el Código de Aguas incluso cuando reconocen algunos de sus problemas.

LA CUENCA DEL RÍO LIMARÍ: LA ESTRELLA DE LOS MERCADOS CHILENOS DE AGUA

Una cuenca hidrográfica particular en el centro-norte de Chile atrajo cada vez más atención a nivel nacional e internacional a lo

134

largo de la década de los noventa: el río Limarí y sus afluentes (véase el mapa 1). La cuenca hidrográfica del río Limarí es única por el amplio consenso que existe respecto a que tiene un mercado de aguas agrícolas activo y exitoso, incluyendo arriendos temporales y ventas permanentes, e incluso agentes de bienes raíces locales que hacen de intermediarios, y facilitan el comercio, de derechos de agua. La cuenca del Limarí es el lugar que los economistas extranjeros vienen a estudiar en Chile y de la cual prefieren hablar los promotores del Código de Aguas.[25]

La cuenca del Limarí tiene tres factores a su favor que no se encuentran así combinados en ningún otro lugar de Chile. Primero, y más importante, la cuenca tiene una capacidad de almacenaje de agua adecuada, gracias a tres embalses construidos por el gobierno nacional entre los años treinta y setenta, y mantenidos y administrados por el Ministerio de Obras Públicas. Estos embalses son para riego solamente. Segundo, las asociaciones de usuarios de aguas locales están en su mayoría bien organizadas y su infraestructura está bien mantenida. Tercero, el clima es soleado, cálido y seco, creando excelentes condiciones para el cultivo de frutas de alto valor para la exportación. Por todas estas razones, el mercado de derechos de agua es dinámico. Es importante tener presente, sin embargo, que el riego es con diferencia el uso de agua más importante y que el sector agrícola domina de forma aplastante el comercio de derechos de agua.

La cuenca del Limarí fue el sujeto de una tercera disertación doctoral norteamericana sobre los mercados de aguas chilenos, esta vez en economía agrícola en la Universidad de California en Davis. Este estudio, terminado en 1999, es la investigación empírica más cuidadosa y sofisticada realizada sobre este tema desde la primera mitad de los años noventa. El trabajo de Ereney Hadjigeorgalis ilustra lo intrincado que resulta definir los derechos de agua en la práctica, tal como se ha dicho anteriormente, y presenta una rica y detallada descripción de un complejo sistema de tres embalses y sus canales asociados, conocido como el «sistema Paloma» por el nombre del embalse más grande. Examina tanto las transacciones de corto plazo (el mercado de aguas *spot*) como las ventas permanentes de derechos de agua. Su análisis empírico está obviamente basado en un intenso trabajo de campo, un tipo de trabajo demasiado escaso en el ámbito de la investigación en torno al agua en Chile.[26]

Al tratar el tema de los derechos de agua en el sistema Paloma, Hadjigeorgalis hace una distinción crucial entre su localización física y su fuente legal: para un derecho de agua dado, pueden estar involucrados diferentes embalses. Esto sucede porque el embalse Paloma —el más grande, así como el último en ser construido— se hizo para aumentar la seguridad del riego en el valle, al unificar e integrar los sistemas de distribución de aguas preexistentes. El resultado fue que una gran cantidad de derechos de agua que anteriormente se suponía eran distribuidos a través de los ríos o almacenados en los dos embalses más pequeños fueron relocalizados en el embalse Paloma (en otras palabras, el agua correspondiente a esos derechos fue transferida físicamente). La distinción entre la ubicación física y las fuentes legales de los derechos de agua llevó a Hadjigeorgalis a distinguir entre las limitaciones físicas e institucionales del comercio de derechos de agua. Las limitaciones institucionales se definen como aquellas impuestas por las organizaciones de regantes para prevenir impactos sobre terceros.

Las transacciones de corto plazo se permiten entre los agricultores dentro del mismo sector físico del sistema; esto es, entre aquellos que comparten el mismo embalse, sin importar las fuentes legales de los derechos de agua involucrados. En el mercado permanente de derechos de agua, en contraste, «el universo de posibles transacciones está determinado por la ubicación física *y* la ubicación legal del derecho de agua». Esto es así porque las limitaciones físicas impiden transferir derechos entre embalses, mientras que las limitaciones institucionales impiden el comercio de derechos «que están almacenados dentro del mismo embalse pero que tienen diferentes localizaciones legales».[27] Hadjigeorgalis presenta numerosos datos sobre la naturaleza de las transacciones de derechos de agua y el comportamiento de los precios, describiendo y comparando los mercados *spot* y los mercados permanentes en los diferentes sectores del sistema general de embalses.

Hadjigeorgalis concluye que el mercado de aguas del Limarí ha funcionado eficientemente y ha tenido importantes beneficios tanto para los compradores como para los vendedores. Hay abundante evidencia de que el agua frecuentemente ha sido reasignada a usos de mayor valor dentro del sistema de embalses. Además, el mercado ha provisto a los agricultores con la flexibilidad necesaria para administrar una parte de los riesgos causados por las incertidumbres en el abastecimiento de agua y de los mercados agrícolas. Los agricultores pobres, por ejemplo, han podido arrendar sus derechos de agua a otros agricultores durante años de sequía, cuando los precios del agua están altos y los ingresos del riego son inciertos. Por estas razones, Hadjigeorgalis argumenta en contra de los aspectos de las reformas propuestas del Código de Aguas que podrían penalizar a los agricultores por no usar sus derechos de agua.[28]

Tal como ella misma señala, sin embargo, su estudio analiza solamente el mercado de aguas en la agricultura, y solamente el caso más inusual del país. En este sentido, el éxito mismo del mercado de aguas del Limarí parece ser la excepción que confirma la regla.

TEMAS AUSENTES DE LA INVESTIGACIÓN

Los trabajos antes resumidos indican un consenso bastante amplio sobre la descripción empírica de los mercados de aguas chilenos, por lo menos entre personas que conocen el tema. Este consenso es bastante notable, dado que estos autores tienen perspectivas teóricas y disciplinarias diferentes y posiciones diferentes respecto al Código de Aguas en general. El consenso sobre la descripción empírica no se extiende a las implicaciones para las políticas públicas, pero la acumulación gradual de investigaciones en esta área ha ordenado la confusión causada por las versiones conflictivas sobre los hechos básicos que se dieron durante la primera mitad de la década de los noventa.

Lo que es igualmente notable, sin embargo, sobre todo para el observador externo, es lo que ha estado ausente de la investigación sobre los mercados de aguas chilenos; en otras palabras, los impactos sobre la equidad social, la sostenibilidad ambiental, la gestión de las cuencas hidrográficas, la coordinación de usos múltiples y la resolución de conflictos. Estos temas surgen a menudo en los debates políticos, aunque en términos generales y retóricos, y a veces se mencionan de paso en investigaciones académicas y sobre políticas públicas. Pero raramente han sido estudiados. La mayoría de los investigadores, tanto los chilenos como los extranjeros, han centrado sus esfuerzos en los aspectos económicos y legales del comercio de derechos de agua. Vale la pena repetir que las investigaciones que he revisado hasta ahora en este capítulo son esencialmente todos los trabajos relevantes que existen en este ámbito.

La ausencia de investigación en estos temas sociales, ambientales e institucionales es crítica por dos razones: en primer lugar, estos temas están en el centro de los debates contemporáneos internacionales sobre las reformas de las políticas hidrológicas; y en segundo lugar, la evidencia disponible sugiere que estos temas son de hecho problemas serios en Chile, tal como planteo en el resto de este capítulo. El hecho de que estos temas hayan sido secundarios en la investigación sobre el modelo chileno señala una de las lecciones más amplias que podemos aprender de la experiencia chilena: ha existido un foco demasiado exclusivo en los aspectos económicos de los mercados de aguas, y este foco mismo ha sido demasiado limitado.

LA POLÍTICA NACIONAL DE RECURSOS HÍDRICOS
A FINALES DE LOS AÑOS NOVENTA

El gobierno de Chile ha sido plenamente consciente de la importancia de los temas ausentes en las investigaciones, tal como indican las versiones más recientes de la Política Nacional de Recursos Hídricos de la DGA. La DGA empezó a preparar esta política en el año 1990 como parte de su paquete inicial de reforma del Código de Aguas, como se ha planteado en el capítulo III. El trabajo de la DGA en esta política continuó a lo largo de la década, relacionado cercanamente con las propuestas de reforma del gobierno en proceso de evolución, pero también como parte de un proceso más amplio de modernización de la capacidad organizativa de la agencia y de sus actividades. La Política Nacional de Recursos Hídricos terminó adoptando la forma de un documento fundamental dirigido a la discusión y educación pública a finales de la década de los noventa.[29]

Vale la pena resumir este documento, a pesar de que no se ha traducido en reforma legislativa. La primera mitad de la Política Nacional de Recursos Hídricos presenta antecedentes e información contextual, y la segunda se centra en temas actuales de políticas públicas y en las reformas propuestas del Código de Aguas. El documento comienza estableciendo cinco principios fundamentales que son muy similares a los Principios de Dublín para la gestión integrada de los recursos hídricos, descritos en el capítulo I:

- El agua es definida legalmente como un «bien nacional de uso público», lo que refleja su importancia vital para el interés público y por lo tanto la necesidad de algún grado de regulación gubernamental.
- El uso del agua debe ser ambientalmente sostenible.
- El agua es un «bien económico».[30]
- La política hidrológica debería promover la participación de los usuarios de agua, de otros ciudadanos y de organizaciones de la sociedad civil, profundizando de este modo la democracia, y reflejando la importancia social, económica, ambiental y cultural del agua.
- Las dinámicas físicas de los recursos hídricos y del ciclo hidrológico son extremadamente complicadas, y la política hidrológica debe reconocer esta complejidad y basarse en conocimientos científicos y técnicos adecuados.

Después de exponer estos principios, el documento los traduce en una serie de objetivos generales de política pública: asegurar el abastecimiento de las necesidades básicas de agua, aumentar la eficiencia en el uso y asignación del agua, reducir los impactos de la variabilidad hidrológica y del daño ambiental, y minimizar los conflictos de aguas. El documento entonces describe los tres grandes desafíos que afronta Chile en términos de política hidrológica, ilustrados con una variedad de estadísticas y gráficos. El primero es el constante aumento de las múltiples demandas de agua en diversos sectores económicos, generadas por el crecimiento económico sostenido desde finales de los años ochenta. El segundo es la creciente presión sobre los sistemas ambientales y los también crecientes problemas de contaminación, de nuevo en diversos sectores económicos. El tercer desafío es la incertidumbre causada por la variabilidad climática.

Siguiendo este contexto general, el documento resume las características esenciales del marco legal y económico existente: la naturaleza privada de los derechos de agua, la aplicación general de la economía de libre mercado y el concepto del «estado subsidiario» (según el cual el gobierno deja la mayor cantidad posible de actividades al sector privado, mientras retiene tareas reguladoras cruciales y promueve la equidad social).[31] Sigue un perfil de las agencias gubernamentales y de las funciones que se relacionan con las esferas de actividad y la responsabilidad de los propietarios y usuarios privados de aguas.

La segunda parte del documento contiene un diagnóstico más detallado de los actuales problemas de políticas públicas y las soluciones propuestas por el gobierno. Aquí es donde la DGA explica y aboga por el paquete de reformas del Código de Aguas del gobierno. Los temas se desglosan en siete categorías:

- Naturaleza legal de los derechos de agua (con propuestas tales como establecer tasas por el no uso, exigir la justificación de los nuevos derechos y reservar caudales ecológicos mínimos para nuevos derechos).
- Estructura institucional, gestión integrada de los recursos hídricos y planificación (especialmente la necesidad de fortalecer la gestión de las aguas en el ámbito de la cuenca).
- Medio ambiente y contaminación (describiendo el daño ambiental en todo el país, la fragmentación de las agencias de gobierno y los remedios potenciales ofrecidos por la ley de bases generales de 1994 para la protección ambiental).

- Uso de los recursos hídricos (incluyendo la eficiencia técnica y también el funcionamiento de los mercados de derechos de agua).
- Administración del agua y organizaciones de usuarios de agua.
- Conocimiento e información científica (incluyendo la recopilación de datos y el seguimiento).
- Capacitación técnica y educación ciudadana.

Algunos aspectos de la Política Nacional de Recursos Hídricos han sido cuestionados o criticados en Chile como parte del debate político sobre la reforma del Código de Aguas. A pesar de esto, el documento de la DGA es una contribución sustancial, meditada y en general equilibrada a la discusión pública. Tenga o no mucho efecto en la legislación, muestra que los expertos en agua tienen una buena comprensión de los debates contemporáneos internacionales y de los temas que es necesario abordar en Chile.

TEMA AUSENTE 1: EQUIDAD SOCIAL

Los impactos de los mercados de agua en la pobreza rural y en la equidad social en Chile han recibido muy poca atención en términos de investigación. Hay varios cientos de miles de campesinos y pequeños agricultores en todo el país. (Una pequeña proporción de regantes campesinos pertenecen a comunidades indígenas en el desierto y regiones montañosas del norte, pero una gran mayoría de la población indígena de Chile vive en las regiones sureñas más húmedas, donde históricamente el tema principal han sido los derechos a la tierra más que los derechos de agua). Los derechos de agua y los problemas de uso de las aguas que afrontan muchos de estos agricultores obedecen a causas que datan de antes del Código de Aguas de 1981 y reflejan problemas más profundos de pobreza e inequidad social.[32]

Los problemas de derechos de agua de campesinos y pequeños agricultores —de antes y después de 1981— pueden resumirse como sigue. Primero, a estos agricultores tienden a faltarles fuentes seguras de agua o títulos legales a derechos de agua, a pesar de que pueden tener demandas consuetudinarias o informales para usar los caudales de retorno y los excedentes de regantes más prósperos. Segundo, la infraestructura de canales y la tecnología de riego de los agricultores pobres son más primitivas y peor mantenidas que el promedio nacional. Tercero, tienen influencia o voz limitada en las organizaciones de usuarios de aguas, que están dominadas por agricultores más grandes. Por último, los campesinos y pequeños agricultores tienden a evitar el sistema legal formal, tanto los tribunales como las burocracias gubernamentales, porque por lo general es costoso, lento y poco deferente con ellos.[33]

Los estudios económicos más empíricos de los mercados de aguas chilenos han tratado los temas de equidad sólo como algo secundario, no como un interrogante de investigación importante. Por ejemplo, de acuerdo con las dos disertaciones de doctorado citadas anteriormente, muchos pequeños agricultores en la cuenca del río Limarí han vendido sus derechos de agua a agricultores más grandes o a corporaciones de la agroindustria,[34] aunque este resultado puede ser o no equitativo: sin más investigación sólo podemos adivinar. Dado que la cuenca del Limarí es el mercado de aguas mejor conocido, más dinámico y más estudiado de Chile, uno podría haber esperado que alguien hubiese hecho el seguimiento de estas observaciones. Hasta ahora nadie lo ha hecho. Incluso Donoso, el más experimentado economista que escribe sobre estos temas, deja fuera la equidad social en su reciente revisión de la literatura sobre los mercados de aguas chilenos.[35]

Los análisis menos fundamentados empíricamente han tendido a ser más positivos, sosteniendo ya sea que el mercado de aguas ha mejorado la situación de los campesinos o de los pequeños agricultores o, en el peor de los casos, que los problemas de equidad social, cualesquiera que sean, han sido triviales. Éste es el punto de vista de la mayoría de las publicaciones escritas por economistas del Banco Mundial, discutidas antes en este capítulo.[36] Sin embargo, estos autores no han mostrado ninguna evidencia para sustentar tales afirmaciones, y a sus comentarios en este ámbito les ha faltado detalle y profundidad.

Por ejemplo, al final de su revisión de los «temas principales» que suscitan los mercados de aguas chilenos, Ríos y Quiroz incluyen un breve párrafo respecto a los impactos en la equidad. Refiriéndose a investigaciones previas que habían sacado a flote la posibilidad de problemas de equidad, ellos simplemente afirman que «parece ser un no tema *(non issue)* en el caso de Chile, dado el funcionamiento tradicional de un mercado de aguas entre los agricultores». Éste es el alcance de su discusión.[37]

Briscoe despacha el tema de manera similar, como parte de su defensa del sistema chileno como modelo de cómo gestionar el agua como un bien económico. Cita mi trabajo como un ejemplo del argumento que postula que el Código de Aguas les ha causado algunos problemas a los agricultores pobres, y lo refuta diciendo que las alternativas a los mercados de aguas serían peores. No obstante, los argumentos de refutación de Briscoe son más bien engañosos. Cita la aseveración de los defensores del Código según los cuales los mercados de aguas han ayudado a los pobres, al reducir los subsidios gubernamentales al riego, que históricamente habían beneficiado a agricultores más prósperos, reduciendo de esta manera la tasa nacional de inflación. Éstos son argumentos dudosos, ya que de hecho el gobierno militar continuó subsidiando los trabajos de riego después de 1985 —en particular para los agricultores más prósperos— y los gobiernos de la Concertación han aumentado los subsidios al riego para agricultores tanto grandes como pequeños. En todo caso, es improbable que un pequeño cambio en la tasa de inflación haya sido el efecto más importante de los mercados de aguas en los campesinos. Briscoe también defiende que la Concertación ha estado «firmemente comprometida» con los mercados de agua, así como con la equidad social, y, por lo tanto, ha tratado de superar los obstáculos que han impedido que los pobres puedan aprovecharlos. Si bien esta descripción de la postura de la Concertación es relativamente precisa, aunque quizás un poco exagerada, confirma la idea de que los agricultores pobres han tenido problemas con el actual sistema.[38]

En contraste, la mayoría de los miembros en plantilla de las organizaciones no gubernamentales (ONG) chilenas y del Ministerio de Agricultura del gobierno de Chile, que asesoran el desarrollo de la agricultura a pequeña escala y campesina, han señalado en la dirección opuesta: según ellos, el impacto del Código de Aguas en los agricultores pobres ha sido principalmente negativo. Incluso a pesar de que los problemas fundamentales de estos agricultores relacionados con el agua datan de antes de la actual ley de aguas y reflejan problemas sociales y económicos más profundos, el nuevo Código de Aguas parece haberlos perjudicado de varias maneras.[39]

En primer lugar, el gobierno militar no proporcionó a la ciudadanía información, consejo o ayuda para ajustarse a la nueva ley. Los campesinos y pequeños agricultores a menudo tuvieron conocimiento de las nuevas reglas y procedimientos para adquirir o regularizar derechos de agua demasiado tarde para aprovecharlos o para protegerse adecuadamente. Incluso cuando los agricultores pobres han conocido los procedimientos, rara vez han sido capaces de utilizarlos sin asistencia legal, financiera y organizativa.

En segundo lugar, por lo general los agricultores pobres no pueden participar en el mercado de aguas salvo como vendedores (si son lo suficientemente afortunados como para tener títulos legales a los derechos de agua, lo que es poco común). Les falta el dinero o el crédito necesario para comprar derechos de agua. Su principal esperanza de tener acceso a agua adicional es beneficiarse de los caudales de retorno aumentados que pueden resultar de las mejoras en la eficiencia del riego logradas por los regantes más prósperos aguas arriba. Sin embargo, los usuarios aguas abajo no tienen un derecho legal respecto de tales caudales excedentes sin uso, los cuales son, por lo tanto, una fuente de agua poco fiable e insegura.

En tercer lugar, los campesinos y pequeños agricultores carecen de los recursos económicos y de la influencia social y política necesarias para defender sus intereses eficazmente en el actual contexto regulador *laissez faire,* en el cual el poder de negociación privado es crucial. Ésta es una desventaja en dos áreas: conflictos por el uso del agua y conflictos por la regularización de los títulos de derechos de agua.[40]

Desde 1990, los gobiernos de la Concertación han puesto en marcha varios programas orientados a mejorar la situación de los derechos de agua de los campesinos y agricultores pobres. Diferentes agencias de gobierno han trabajado juntas para mejorar el acceso legal y físico de estos agricultores a los recursos hídricos. Los programas han incluido subsidiar proyectos de riego de pequeña escala, establecer nuevas organizaciones de usuarios de agua, y proveer ayuda legal y técnica para regularizar títulos de derechos de agua. Estos programas han tenido algunos impactos locales importantes. Como un todo, sin embargo, los programas han tenido fondos muy limitados, y a menudo los proyectos han sido bloqueados porque los campesinos carecen de títulos legales a los derechos de agua. (Este problema ha sido especialmente frustrante allí donde el agua existe físicamente pero no está legalmente disponible porque los derechos de agua existentes no están siendo utilizados por sus dueños; éste ha sido uno de los argumentos del gobierno a favor de reformar la ley para desincentivar el no uso). En todo caso, los programas para asistir a los campesinos han estado en el tramo inferior de la agenda hídrica más amplia del gobierno.

Mi propia evaluación aquí no es definitiva. He tratado de recopilar la evidencia disponible, pero obviamente hay espacio para el debate y para investigación adicional. La investigación empírica en esta área es un desafío porque los campesinos y pequeños agricultores generalmente carecen de título legal a derechos de agua y prefieren evitar el sistema legal formal, lo que hace difícil la recolección de datos; sin registros documentales, el trabajo de campo es la única forma de recopilar información. Adicionalmente, tal como sucede con la mayoría de los otros investigadores que estudian los mercados de aguas chilenos, mi trabajo en este ámbito no ha sido mi principal prioridad.

La incertidumbre de la evaluación, sin embargo, es precisamente lo que quiero subrayar aquí: es importante destacar la carencia de investigación sobre estos impactos de los mercados de aguas chilenos en la equidad social. Sin más conocimientos sobre estos impactos, cualquier evaluación de la experiencia chilena es incompleta. A pesar de que puede ser difícil conseguir buena información empírica, lo que es notable, e intrigante, es la falta de esfuerzos dirigidos a la investigación. Parte de la explicación puede ser que los análisis económicos realizados hasta ahora han sido diseñados para observar la eficiencia económica más que los temas de redistribución. Uno sólo puede especular sobre por qué los defensores más destacados del modelo chileno no han examinado el tema más de cerca.[41]

En Chile, la falta de investigación en este ámbito también refleja limitaciones políticas e ideológicas nacionales. Centrarse en los interrogantes en torno a la equidad politizaría aún más el debate sobre políticas hidrológicas, y vimos en el capítulo III que este debate ya está altamente politizado. En un contexto ideológico tan dominado por la economía de libre mercado, los neoliberales chilenos comúnmente defienden que la distribución inicial de derechos de propiedad y de recursos económicos no importa mientras se permita que el libre mercado opere sin interferencia gubernamental. (Esto, por supuesto, es una versión del teorema de Coase). Por lo tanto, según ellos, en política hidrológica así como en otros ámbitos, el gobierno debería establecer como objetivo disminuir los costes de transacción más que redistribuir recursos a los pobres.[42]

La relativa falta de atención a la equidad social en la política hidrológica chilena ofrece un destacado contraste en relación con otros países en vías de desarrollo que han adoptado reformas sustanciales de la legislación de aguas y de las políticas hidrológicas. Tanto en México como en Suráfrica, por ejemplo, los impactos sociales de tales reformas —particularmente los impactos de los aspectos económicos y promercado de las reformas— han sido una preocupación pública notable.[43]

TEMA AUSENTE 2: GESTIÓN DE CUENCAS HIDROGRÁFICAS

El otro tema fundamental que ha estado ausente de las investigaciones sobre los mercados de aguas chilenos es el marco institucional para la gestión de las cuencas hidrográficas. En realidad se trata de un conjunto de temas superpuestos, que incluyen el uso del recurso así como la protección ambiental, ya que se necesitan las mismas medidas institucionales para gestionar las cuencas hidrográficas, para coordinar diferentes usos del agua, para abordar externalidades (tanto ambientales como económicas), y para definir y hacer cumplir los derechos de propiedad. Estas tareas de gobernanza y regulación son el núcleo esencial de la gestión integrada de los recursos hídricos, tal como se ha expuesto en el capítulo I.

La falta de un marco adecuado para la gestión de las cuencas hidrográficas ha sido ampliamente reconocida en Chile. Desde principios de la década de los noventa ha sido un tema recurrente en los debates sobre la reforma del Código de Aguas. La Política Nacional de Recursos Hídricos de la DGA y los documentos relacionados consideran la gestión de las cuencas hidrográficas y la resolución de conflictos como aspectos críticos para lograr la meta de la gestión integrada de los recursos hídricos.[44] De forma similar, algunas publicaciones del Banco Mundial sobre los mercados de aguas chilenos han señalado la ausencia de instituciones de cuencas hidrográficas efectivas y los fallos de las medidas existentes para la coordinación de los usos múltiples del agua y la resolución de los conflictos de aguas. Estas publicaciones describen los problemas como desafíos pendientes para el gobierno de Chile o como temas para el estudio futuro.[45]

A pesar del difundido reconocimiento de estos problemas, sin embargo, la mayoría de los análisis han sido breves y superficiales. La gente ha tendido a mencionar su existencia sin investigarlos. Esto ha sido particularmente cierto de los aspectos más institucionales y políticos de la gestión de cuencas hidrográficas.

En parte, el no haber investigado las cuestiones institucionales refleja las limitaciones políticas descritas en el capítulo III. A partir de 1993, el gobierno chileno descartó las propuestas de creación de nuevas organizaciones de cuencas de su paquete de reformas del Código de Aguas debido a la hostil acogida que tuvieron en las primeras rondas de debate público.[46] El gobierno tomó la decisión estratégica de bajar el perfil a la gestión de las cuencas hidrográficas, que involucraba complicados temas que exigían una discusión y negociación extensa, y de centrarse en promulgar primero las reformas supuestamente más simples. Debido a que todo el proceso de reforma ha sido más largo y más difícil de lo esperado, los temas de cuencas hidrográficas han permanecido en la lista de espera indefinidamente.

Durante los años noventa el gobierno chileno apoyó varios proyectos piloto en diferentes regiones del país para explorar las posibilidades de nuevas organizaciones de cuencas hidrográficas. Estos proyectos fueron financiados por el Banco Mundial y el Banco Interamericano de Desarrollo, y fueron licitados a firmas consultoras. Los proyectos han destacado los aspectos más técnicos de la gestión de cuencas —por ejemplo, reforestación para controlar la erosión de los suelos, y comunicación entre las agencias gubernamentales— y han evitado los temas más conflictivos o políticos. Por eso los proyectos han hecho ver la necesidad de mejor cooperación voluntaria entre los interesados *(stakeholders)* y las agencias gubernamentales, o han recomendado incentivos financieros utilizados en otros países (en particular Francia), pero no han exigido mayores poderes reguladores o especificado quién ejercería tales poderes sobre quiénes. Estos proyectos consultivos no han llevado al establecimiento de ningún tipo de organizaciones permanentes o a otros cambios legislativos o reguladores, y su valor en general es cuestionable.

En particular, las medidas institucionales para la resolución de conflictos han sido aún más raramente examinadas en Chile. Cuando el actual director de la DGA miró hacia atrás para evaluar los primeros veinte años de experiencia del Código de Aguas, destacó los procesos existentes para la resolución de conflictos como un problema importante que todavía espera atención.[47] Muchos expertos chilenos de aguas parece que esperan que los problemas de resolución de conflictos vayan a ser resueltos con el tiempo a través de alguna futura organización de cuenca hidrográfica, y de esta manera se ha postergado la confrontación directa de estos problemas. Ante la ausencia de organizaciones de cuencas hidrográficas, el sistema judicial es la única alternativa a la negociación privada voluntaria. La falta de investigación en esta área se debe probablemente tanto a las limitaciones intelectuales de las disciplinas académicas como a limitaciones políticas, tal como plantearé más adelante.

INSTITUCIONES PARA RESOLVER CONFLICTOS DE CUENCAS HIDROGRÁFICAS

Mis propias investigaciones pasadas siguen siendo los únicos análisis empíricos en profundidad sobre las medidas para coordinar los usos múltiples del agua y resolver conflictos de aguas.[48] El Código de Aguas de 1981 dice muy poco sobre estas materias, tal como se ha descrito en el capítulo II. El gobierno militar y sus asesores tenían otras prioridades cuando redactaron la ley: primero, aclarar y estabilizar la situación de los derechos de agua dentro del sector agrícola, y, segundo, establecer el marco legal para permitir el libre comercio de derechos de agua, tanto dentro del sector agrícola como de un sector económico a otro. Como resultado de estas prioridades, la gestión de las cuencas hidrográficas y la resolución de conflictos de aguas dependen de los principios generales de libre mercado del Código y del marco institucional como un todo, no de reglas legales específicas o detalladas. Este marco institucional general, a su vez, depende de la Constitución de 1980.

En otras palabras, resolver conflictos de aguas en Chile depende principalmente de la negociación privada voluntaria entre los dueños de derechos de agua. Según el teorema de Coase, que a menudo invocan los economistas chilenos, este enfoque debería llevar a la eficiencia económica (siempre y cuando los costes de transacción sean cero y los derechos de propiedad estén claramente definidos). Ni la DGA ni ninguna otra agencia gubernamental tiene la autoridad para regular los usos privados del agua o para intervenir en conflictos de aguas. Cuando la negociación privada falla, por lo tanto, las partes en conflicto no tienen otro lugar donde dirigirse que el sistema judicial, esto es, los tribunales civiles ordinarios, dado que Chile no tiene un sistema de tribunales administrativos especializados. Los tribunales pueden solicitar la opinión experta de la DGA en un caso particular, pero no tienen ninguna obligación de obedecerla.

Las únicas excepciones son las disputas locales entre regantes, que a menudo son dirimidas por las organizaciones privadas de usuarios de agua, es decir, las asociaciones de regantes. La principal función de estas asociaciones es distribuir el agua desviada de los ríos y arroyos a los miembros de un sistema de canales compartido, de acuerdo con sus derechos de agua, y las asociaciones resuelven muchos conflictos rutinarios entre sus miembros. Si las asociaciones de regantes no pueden resolver el problema, los regantes pueden llevar sus disputas a tribunales locales, y si no están satisfechos con la decisión allí, pueden apelar a los tribunales superiores. Las disputas entre los regantes a menudo se caracterizan por los intrincados detalles, tanto de los hechos como legales, pero, en términos de la gestión integrada de los recursos hídricos, son el tipo más simple de conflictos de aguas y el más limitado en términos de alcances e implicaciones.

En contraste, los conflictos relacionados con usos no agrícolas caen fuera de la jurisdicción de las asociaciones de regantes y van directamente a las cortes de apelaciones regionales. Lo mismo sucede con los conflictos entre los titulares privados de derechos y la DGA. Las decisiones de las cortes de apelación son a menudo apeladas a la Corte Suprema de la nación. En breve, los tribunales superiores son las instituciones que importan para todos los conflictos más amplios sobre los usos del agua, sobre la autoridad reguladora y sobre la gestión del agua en la cuenca.

El Código de Aguas reconoce también las organizaciones de usuarios de agua llamadas juntas de vigilancia, que son federaciones de asociaciones de regantes a lo largo de un río compartido. El objetivo de estas juntas es gestionar la distribución del agua desde un río hasta la toma de cada canal. A pesar de que las juntas de vigilancia tienen una escala geográfica más amplia que las asociaciones de regantes y que a veces incluyen usuarios no agrícolas de agua como miembros, las juntas fueron establecidas para abordar solamente cuestiones relativas al riego; no han sido capaces de ampliar su jurisdicción a la gestión intersectorial o al ámbito de la cuenca de las aguas.

Las medidas institucionales descritas anteriormente son determinadas por la Constitución, así como por el Código de

Aguas. Como se ha expuesto en el capítulo II, la Constitución, tal como fue redactada por los asesores legales del régimen militar y adoptada en 1980, permaneció vigente después del retorno al gobierno democrático en 1990. La Constitución de 1980 define un modelo legal y económico que se caracteriza por derechos de propiedad privada amplios y otras libertades económicas también amplias, por limitadas restricciones a la regulación gubernamental y a la actividad económica del gobierno (concepto conocido como el estado subsidiario), y por un poder judicial que tiene una autoridad significativamente aumentada para intervenir en asuntos económicos y reguladores con el fin de proteger los derechos privados de la interferencia gubernamental.[49] El Código de Aguas de 1981 es un fiel reflejo de la Constitución en su estructura institucional básica y en su visión económico-política, y esto es particularmente aparente en el marco *laissez faire* para la gestión de las cuencas hidrográficas.

EJEMPLOS DE CONFLICTOS Y DE INSTITUCIONES QUE FUNCIONAN MAL

En este apartado voy a resumir varios ejemplos de conflictos de cuencas hidrográficas que ilustran las deficiencias del marco institucional actual. Estos ejemplos están sacados de estudios de casos en dos cuencas hidrográficas en el centro y sur-centro de Chile: el río Maule y el río Bío Bío.[50] Estos dos ríos están entre los más importantes de Chile en términos de las actividades económicas afectadas y de la variedad de usos de las aguas involucradas, que incluyen riego, generación hidroeléctrica, agua potable urbana, usos industriales y protección ambiental. Las cuencas en otros lugares del país, a pesar de que difieren en sus condiciones climáticas e hidrológicas, en los usos del agua y en los conflictos específicos, están sujetas a las mismas medidas legales e institucionales.

Estas medidas han impedido la gestión eficaz de las externalidades causadas por los trasvases de una cuenca hidrográfica a otra, por los conflictos entre regantes y empresas eléctricas sobre cómo operar embalses de doble uso, y por la protección de los ecosistemas y de la calidad del agua tanto en la construcción como en el funcionamiento de presas y embalses. En todos estos casos, la negociación privada ha fallado porque los intereses en juego han sido altos, las normas legales no han sido suficientemente claras, y el poder de negociación relativo de los diferentes actores ha sido desigual. Ni las organizaciones de usuarios de agua ni la DGA han tenido el poder de aclarar o hacer cumplir los derechos de propiedad. Los tribunales superiores han tenido el poder pero les falta el conocimiento técnico y la capacidad de análisis de políticas públicas para realizar un trabajo efectivo.

Propuesta de trasvase intercuenca desde el río Laja

Un importante conflicto regional se desató en 1984 cuando dos empresas de productos forestales solicitaron a la DGA derechos de agua en el río Laja, para agua que planificaban trasvasar hacia el norte exportándola fuera de la cuenca del Laja. El río Laja, el mayor y más septentrional de los afluentes del río Bío Bío en el centro-sur de Chile, comienza en la cordillera de los Andes en el lago Laja, que fue convertido en el mayor embalse de almacenamiento de Chile a finales de la década de los cincuenta (véase el mapa 2). Para 1981 la empresa eléctrica nacional de Chile, Endesa, había construido tres plantas hidroeléctricas en el desaguadero del lago y debajo de éste, que en ese momento generaban casi la mitad de la energía de la red eléctrica nacional. El lago mismo era gestionado tanto para riego como para generación hidroeléctrica, de acuerdo con las normas de funcionamiento establecidas en un acuerdo firmado en 1958 por Endesa y la Dirección Nacional de Riego (parte del Ministerio de Obras Públicas). Más abajo del lago y de las plantas hidroeléctricas, el río Laja abastecía de agua más de 70.000 hectáreas de tierras regadas y todavía tenía un volumen suficientemente abundante como para precipitarse por el famoso salto del Laja y finalmente unirse al tramo más bajo del río Bío Bío.

El agua del río Laja era limpia, ya que no estaba afectada por actividades contaminantes aguas arriba. El río Bío Bío, sin embargo, estaba gravemente contaminado tanto aguas arriba

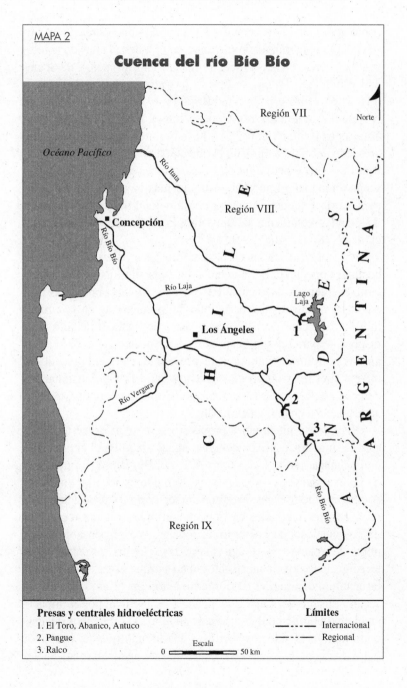

MAPA 2

Cuenca del río Bío Bío

Región VII

Norte

Océano Pacífico

Río Itata

Región VIII

■ Concepción

Río Bío Bío

Río Laja

Lago Laja

■ Los Ángeles

1

Río Vergara

2

3

Región IX

Río Bío Bío

C H I L E

A R G E N T I N A

A N D E S

Presas y centrales hidroeléctricas
1. El Toro, Abanico, Antuco
2. Pangue
3. Ralco

Límites
------- Internacional
-·-·- Regional

Escala
0 ▭▭▭ 50 km

153

como aguas abajo de su confluencia con el Laja. Cerca de la confluencia la contaminación provenía de grandes plantas de celulosa y papeleras, plantas procesadoras agroindustriales, y de la ciudad provincial de Los Ángeles; más abajo, el Bío Bío pasa a través del centro urbano e industrial de Concepción. Ubicada en la desembocadura del río, Concepción es la capital regional, un área metropolitana con 750.000 habitantes cuya agua potable proviene del río. Es también la ubicación de algunas de las industrias de acero y petroquímicas más grandes del país, que usaban y contaminaban el agua en el tramo más bajo del río. En resumen, el río Laja desempeñaba una función crítica proporcionando grandes volúmenes de agua limpia para diluir la contaminación del bajo Bío Bío.

La propuesta de las empresas forestales para trasvasar agua hacia el norte fuera de la cuenca del Laja significaba trasvasarla también fuera de la cuenca del Bío Bío. Ambas compañías propusieron construir nuevas plantas hidroeléctricas en la cuenca hidrográfica contigua. Debido a que sólo había suficiente agua disponible para uno de los proyectos propuestos, y debido a que ambas solicitudes habían sido presentadas en el curso de un mismo mes, el Código de Aguas exigía a la DGA asignar los derechos de agua al postor más alto. Esto colocó a la DGA en el centro de la atención y del debate.

El trasvase intercuenca propuesto contó con la fuerte oposición de muchos usuarios de agua, aguas abajo en el curso, tanto en la cuenca del río Laja como en la del Bío Bío. Los oponentes incluían regantes y asociaciones de regantes locales; intereses comerciales regionales, expertos universitarios, y asociaciones de profesionales y gremios en Concepción; y las oficinas regionales de dos agencias de gobierno nacionales, una responsable de las obras de tratamiento de aguas servidas y la otra de promover el turismo. Estos oponentes protestaban porque el trasvase aumentaría la concentración de contaminación en el bajo Bío Bío y secaría el salto del Laja. Los regantes protestaban por el impacto en el abastecimiento de sus aguas: en teoría sus derechos de agua continuarían siendo respetados, pero temían quedar atrapados entre dos grandes usuarios no agrícolas de agua sobre los cuales no tenían ninguna influencia: el nuevo trasvase fuera de la cuenca y las plantas hidroeléctricas de Endesa existentes.

La DGA tuvo en cuenta las protestas e impuso ciertas condiciones a los nuevos derechos de agua, pero decidió seguir adelante con la subasta a finales del año 1985. Las condiciones eran que los derechos podían utilizarse solamente durante la estación lluviosa y que tendría que mantenerse un caudal mínimo aguas abajo en el salto del Laja. Los contrarios al proyecto consideraron insuficientes estas condiciones y dudaron de que pudieran hacerse cumplir una vez que la nueva planta hidroeléctrica entrara en funcionamiento. Finalmente, una coalición de intereses comerciales y universitarios en Concepción interpuso una demanda judicial contra la DGA, alegando que la subasta violaría su derecho constitucional a «vivir en un medio ambiente libre de contaminación».

La DGA se defendió argumentando que reconocía el problema pero que no tenía opción respecto del otorgamiento de los derechos de agua. De acuerdo con una interpretación estricta de la letra de la ley, la agencia no tenía autoridad reguladora sobre el control de la contaminación y ninguna autoridad discrecional para suspender la subasta, incluso ante la constatación de la probabilidad de los impactos en la calidad de las aguas. Medio año después, tanto la Corte de Apelaciones de Santiago como la Corte Suprema rechazaron la demanda y apoyaron plenamente la postura de la DGA. El razonamiento de las cortes fue enteramente formalista, y su renuencia a involucrarse era evidente. Su sentencia estableció que la negativa de la DGA a ir más allá de su autoridad legal explícita era justificada, y que ya que no había errores de procedimiento, los jueces mismos no tenían la obligación de examinar los temas constitucionales sustantivos que los demandantes habían planteado.

A pesar de todo, la demanda logró postergar la subasta el tiempo suficiente para que los demandantes negociaran una solución política. El ministro de Obras Públicas (un general del ejército) intervino desde Santiago para reunir a las partes, y las dos empresas forestales acordaron finalmente abandonar los proyectos propuestos y retirar sus solicitudes de derechos de agua. Las empresas actuaron principalmente por sus intereses en las buenas relaciones públicas, ya que ambas tenían fuertes inversiones en la economía regional y sus oponentes en este asunto eran políticamente influyentes.

El contexto político y el ambiente de negociación de este conflicto fueron diferentes de los ejemplos que planteo a continuación, ya que el gobierno militar estaba todavía en el poder. Sin embargo, el marco institucional es el mismo hoy, y este caso ilustra un patrón de comportamiento institucional que ha sido común en otros ejemplos de conflictos de cuencas hidrográficas: una preferencia por un legalismo estrecho y autodefensivo tanto por parte de la DGA de las cortes, que se combinan para evitar los problemas difíciles en vez de afrontarlos.[51]

Riego frente a hidroelectricidad: derechos de agua consuntivos frente a no consuntivos

El único ámbito en el cual el Código de Aguas de 1981 específicamente trató los usos múltiples del agua fue en la creación de un nuevo tipo de derecho de propiedad: los derechos de agua «no consuntivos». Un derecho no consuntivo permite a su propietario desviar agua de un río y usarla para generar energía hidroeléctrica, siempre y cuando esta agua sea después devuelta sin alteración a su cauce original (aunque no necesariamente al punto de desvío original). El objetivo era promover el desarrollo hidroeléctrico en las partes altas de las cuencas hidrográficas —en las montañas y la precordillera— sin perjudicar los derechos existentes de los regantes aguas abajo en los valles agrícolas. Para cuando el Código fue promulgado, ya se había asignado la mayor parte de las aguas superficiales en las áreas agrícolas del centro y norte de Chile como derechos de agua «consuntivos». De ahí el invento de los derechos no consuntivos que pretendían intensificar los usos de los recursos hídricos sin tener que compensar a los dueños de los derechos existentes.

Desafortunadamente, las normas del Código de Aguas que definen la relación entre los derechos consuntivos y no consuntivos son breves y ambiguas, y su coordinación ha sido mucho más difícil de lo esperado. Estos problemas se han desarrollado de forma más completa en la cuenca del río Maule, tal como se resume más adelante.

La ley no es del todo clara respecto a cuál de los derechos tiene preeminencia en caso de conflicto. Varias disposiciones sugieren que los derechos no consuntivos están subordinados a los derechos consuntivos, particularmente el artículo 14, que define los derechos no consuntivos y exige que «la extracción o restitución de las aguas se hará siempre de forma que no perjudique los derechos de terceros constituidos sobre las mismas aguas, en cuanto a su cantidad, calidad, sustancia, oportunidad de uso y demás particularidades».[52] («Oportunidad de uso» es la frase crítica, tal como ilustran los conflictos descritos más abajo). Por otro lado, el código en general no reconoce ningún orden de preferencia entre distintos tipos de usos del agua cuando, por ejemplo, las personas solicitan a la DGA nuevos derechos, ya que el principio básico de la ley es que las prioridades deberían ser determinadas por los propietarios privados y el libre mercado más que por la legislación. Aparte del artículo recién citado, el código no ofrece normas adicionales sobre cómo ejercer los derechos no consuntivos. La DGA determina las normas adicionales individualmente para cada derecho no consuntivo en el momento en que éste es formalmente otorgado.[53]

Otro problema es que las reglas para la toma de decisiones dentro de las juntas de vigilancia están sesgadas a favor de los derechos no consuntivos. Mencioné anteriormente que la función principal de estas organizaciones es distribuir agua desde los ríos hasta diferentes canales de acuerdo con sus derechos de agua, y, como resultado, históricamente las juntas han estado compuestas en su totalidad por regantes. Las decisiones importantes dentro de las juntas se adoptan por el voto mayoritario de los miembros, que tienen una cantidad de votos proporcionales a la magnitud de sus derechos de agua. El actual Código de Aguas, sin embargo, dice que los propietarios de derechos no consuntivos también son miembros de las juntas de vigilancia. Parece ser que los redactores del código no se dieron cuenta de que los derechos no consuntivos van a superar los derechos de agua consuntivos en cualquier cuenca con más de una central hidroeléctrica, simplemente porque hay un derecho separado para cada uso no consuntivo de las mismas aguas.[54] En la práctica, las juntas de vigilancia han seguido estando dominadas por los regantes que, por defenderse, tienden a no invitar a las empresas de energía a sus reuniones; estas últimas, a su vez, niegan la autoridad de las juntas sobre el uso que hacen de las aguas.

Los conflictos entre derechos consuntivos y no consuntivos han sido más graves en la gestión de presas y embalses multipropósito. Las empresas de energía y los agricultores tienen demandas de agua estacionales conflictivas en Chile: las primeras quieren almacenar agua durante el verano para poder responder a la alta demanda de electricidad en invierno, mientras que los agricultores quieren almacenar agua durante el invierno lluvioso para usarla durante la temporada de cultivo veraniega. La disposición a cooperar se ve socavada por una mentalidad de uso único que está muy arraigada en ambas partes.

La ambigüedad del Código de Aguas respecto a la relación entre los dos usos del agua también refleja la situación que se daba cuando la ley fue redactada: Endesa, sus derechos de agua y todas las presas y embalses importantes eran entonces propiedad del gobierno nacional; su gestión estaba bajo control gubernamental, y existía poca necesidad de establecer precauciones reguladoras. Desafortunadamente, el gobierno militar no modificó el Código de Aguas cuando privatizó Endesa a finales de la década de los ochenta, y los derechos de agua de la empresa fueron incluidos en sus activos. Estos conflictos se han visto aún más complicados por el hecho de que la gestión de los dos embalses de doble uso más importantes de Chile son gobernados por acuerdos legales que datan de antes del Código de Aguas de 1981 y que están todavía vigentes. Estos embalses son el lago Laja, citado anteriormente, y el lago Maule, que se describe a continuación.[55]

En resumen, lo inadecuado del Código de Aguas en este ámbito ha llevado a serios problemas legales y de políticas públicas sobre cómo interpretar y hacer cumplir la relación entre los derechos de agua consuntivos y no consuntivos. Responder a estos problemas ha sido una gran prueba para el actual marco institucional. Más aún, estos problemas son distintos de los temas respecto a los derechos no consuntivos que han dominado los debates políticos sobre la reforma del Código de Aguas, tal como se planteó en el capítulo III. Estos debates se han centrado en los temas de la especulación, el acaparamiento y el poder monopolístico, no en los temas de la gestión de presas o de cuencas hidrográficas.

Cuenca hidrográfica del río Maule

La cuenca hidrográfica del río Maule ha sido el lugar donde han ocurrido los conflictos más complejos entre derechos de agua consuntivos y no consuntivos. Esta cuenca tiene cerca de 200.000 hectáreas en riego y es parte de las tierras emblemáticas de la tradición agrícola de Chile, ubicada a 250 kilómetros al sur de Santiago (véase el mapa 3). La sección principal del río Maule tiene más de 30 canales y 10.000 regantes, que son miembros de la Junta de Vigilancia del Río Maule. El desarrollo hidroeléctrico a escala moderada empezó en la parte alta de la cuenca en la década de los cuarenta, cuando Endesa y la Dirección Nacional de Riego firmaron un acuerdo para convertir un lago montañoso, la laguna del Maule, en un embalse de almacenaje de doble uso (tal como en el caso del lago Laja, pero mucho más pequeño). El desarrollo hidroeléctrico a gran escala comenzó en los años ochenta, después de la promulgación del actual Código de Aguas.

Endesa construyó la presa principal, llamada Colbún, en el lugar donde el río abandona las estribaciones de los Andes para ingresar en el valle central. El embalse tiene la capacidad de almacenar aproximadamente del 20 al 30% del caudal anual promedio del río. En 1983, la DGA otorgó a Endesa los primeros derechos no consuntivos de la cuenca, que estipulaban que los derechos consuntivos existentes en el río no podían ser perjudicados, y especificaban un calendario de caudales mínimos mes a mes, garantizados, que Colbún liberaría a los regantes aguas abajo. Estos caudales eran más altos durante la estación de riego

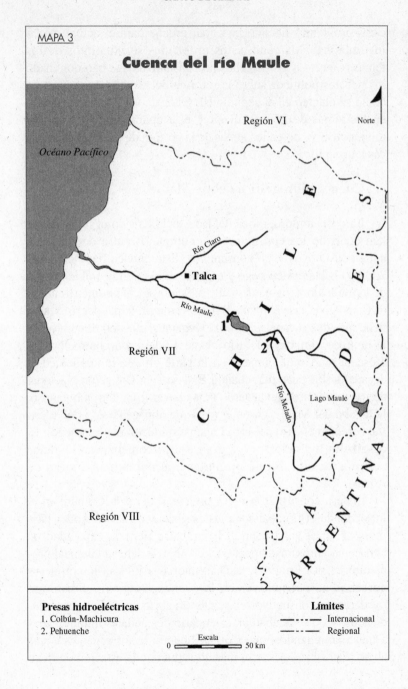

MAPA 3

Cuenca del río Maule

Región VI

Norte

Océano Pacífico

Río Claro

■ **Talca**

Río Maule

1

Región VII

2

Río Melado

Lago Maule

C H I L E

A N D E S

ARGENTINA

Región VIII

Presas hidroeléctricas
1. Colbún-Machicura
2. Pehuenche

Límites
--------- Internacional
---·---·--- Regional

Escala
0 ⬛⬛⬛ 50 km

estival. Los derechos de Colbún también estipulaban que la central se integraría como miembro de la junta de vigilancia del río. Colbún empezó a funcionar en 1985, produciendo cerca del 25% de la energía utilizada por la red de transmisión nacional, y no causó problemas serios a los agricultores.[56]

Los problemas fueron motivados por la segunda gran presa de Endesa en la cuenca del Maule, llamada Pehuenche, que fue construida aguas arriba de Colbún. La DGA otorgó a Endesa derechos no consuntivos para la Central Pehuenche en 1984. Tal como sucedía con Colbún, esos derechos estipulaban que Pehuenche se haría miembro de la junta de vigilancia. Sin embargo, la Central Pehuenche se diferenciaba de Colbún de maneras importantes. Primero, Pehuenche tiene un embalse mucho más pequeño y poca capacidad de almacenaje: esencialmente es una central de paso, a pesar de que su capacidad de generación es similar a la de Colbún. Segundo, el gobierno militar ya había privatizado Endesa cuando Pehuenche fue construida, y Pehuenche era una filial de Endesa. Colbún, por el contrario, había sido parcelada como una compañía separada y era todavía de propiedad pública, para competir con Endesa. Colbún retuvo sus derechos de agua y sus obligaciones legales de liberar caudales garantizados a los agricultores.

Cuando la Central Pehuenche fue terminada en noviembre de 1990, la empresa cerró las compuertas de la presa para llenar el embalse vacío y así poder generar energía unos pocos meses después. Esto era a finales de primavera en un año de sequía —un momento de alta demanda de agua para riego— y los agricultores inmediatamente se quejaron a la junta de vigilancia por la interrupción del caudal del río. La junta pidió a Pehuenche que volviera a abrir las compuertas de la presa y dejara pasar el agua. Pehuenche se negó y la junta se dirigió al tribunal de apelaciones regional, en la cercana ciudad de Talca.

Las contiendas legales que siguieron se arrastraron durante años e involucraron intrincados detalles y maniobras que no se pueden recapitular aquí. Trataré de resumir los temas, argumentos y eventos críticos.[57] Recordemos que cuando me refiero a Pehuenche, Endesa es la empresa que mueve los hilos.

Tanto la Junta de Vigilancia del Río Maule como la DGA alegaron que Pehuenche estaba violando los derechos de propiedad de los regantes, primero al llenar el nuevo embalse y después al regular el caudal del río para satisfacer las necesidades de su generación de energía. Argumentaron que el Código de Aguas establecía claramente que los derechos no consuntivos no podían interferir con los derechos consuntivos preexistentes (véase el artículo 14 tal como está citado anteriormente). Por lo tanto, Pehuenche tendría que negociar con los regantes partiendo de esta base, y o bien modificar su funcionamiento u ofrecer compensación. (Dado que la capacidad del embalse de Pehuenche era limitada, podía hacer solamente una regulación diaria o semanal del caudal del río, de acuerdo con la demanda punta de electricidad).

A medio camino de esta disputa, Colbún se unió a la junta de vigilancia y a la DGA. Colbún tenía que acatar sus propias obligaciones de liberar agua a los regantes, sin importar lo que Pehuenche hiciera aguas arriba, y estaba entonces sufriendo las consecuencias del plan de funcionamiento de Pehuenche. Pehuenche podía generar energía siempre que los precios fueran más altos, una ventaja que Colbún no tenía. Colbún alegó que Pehuenche debería pagar compensación por sus servicios en mitigar los impactos de las acciones de Pehuenche aguas arriba.

Endesa y Pehuenche contraatacaron con la interpretación opuesta. La empresa eléctrica alegó que el Código de Aguas no estipulaba ninguna prioridad entre derechos consuntivos y no consuntivos, y, más aún, que los derechos no consuntivos implícitamente incluían el derecho a llenar embalses y a regular los caudales de los ríos temporalmente; de otra manera el desarrollo hidroeléctrico pretendido no sería posible. Endesa también demandó a la DGA, alegando que las acciones de la agencia en defensa de los regantes violaban los derechos de propiedad de Endesa y que la DGA no tenía autoridad legal para decir a Endesa cómo usar sus derechos de agua.

La DGA estuvo de acuerdo en que no tenía tal autoridad; solamente podía ofrecer su interpretación legal a los tribunales. Pero aquí la DGA se mantuvo firme, alegando que los derechos no consuntivos no incluían el derecho a alterar libremente los caudales de los ríos. La posición de la DGA fue que Endesa tenía que negociar su regulación del caudal del río con los otros due-ños de derechos de agua.

Las cortes de apelaciones de Talca y Santiago inicialmente estuvieron de acuerdo con la interpretación de la DGA y de la junta de vigilancia, y ordenaron a Pehuenche que liberara agua a los regantes. Pero esas decisiones fueron apeladas a la Corte Suprema nacional, y esta última hizo descarrilar y confundió todo el proceso en varias ocasiones. A pesar de que las cortes de apelaciones trataron de lidiar directamente con la esencia de los temas legales, la tendencia de la Corte Suprema era evitar los temas lo más que se pudiera, de manera que se terminó favore-ciendo a Endesa.

La primera sentencia de la Corte Suprema en este conflicto fue eliminar de su propio fallo escrito un largo análisis de la Corte de Apelaciones de Santiago. Los jueces de este tribunal de apelaciones habían tratado de contestar a la pregunta de cómo interpretar las obligaciones mutuas de los derechos consuntivos y no consuntivos. Concluyeron que las interpretaciones de la ley de la DGA y de la junta de vigilancia eran más razonables que las de Endesa. La Corte Suprema, sin embargo, se negó a afrontar este asunto, a pesar de que estaba de acuerdo en que en la situa-ción particular en cuestión los derechos de propiedad de los regantes estaban siendo amenazados. No obstante, la Corte Suprema omitió el razonamiento de la corte de apelaciones y delegó el conflicto sustantivo para que lo resolviera la DGA, a pesar de la falta de autoridad de la agencia para hacerlo.

La próxima sentencia de la Corte Suprema, unos pocos meses más tarde, de nuevo dejó de lado un fallo del tribunal de apelaciones a favor de los regantes, y una vez más se negó a deci-dir sobre el tema sustantivo. En lugar de eso, la Corte Suprema persuadió a Endesa, Pehuenche y a la junta de vigilancia de que simplemente desistieran de sus demandas y contrademandas sin ninguna resolución. A estas alturas el embalse de Pehuenche ya había sido llenado (en parte gracias a un trasvase de agua desde la laguna del Maule aguas arriba, aprobada por Endesa y la

Dirección Nacional de Riego) y la estación de riego en curso ya había concluido. La junta de vigilancia efectivamente había perdido el primer asalto.

Cuando el mismo conflicto se repitió el verano siguiente, la Corte de Apelaciones de Talca le siguió la pista a la Corte Suprema y se negó a abordar los temas. Al contrario, insistió en que Pehuenche y los regantes deberían entrar en un arbitraje privado. El proceso de arbitraje se desarrolló lentamente durante años y al final se redujo a una sola cuestión: si Pehuenche le debía compensación a Colbún. La junta de vigilancia se retiró del proceso, y al final el arbitraje no resolvió nada sobre la relación entre derechos consuntivos y no consuntivos. El tema de mayor trascendencia fue finalmente tratado en el caso decisivo de la Central Pangue.

La Central Pangue en el río Bío Bío

El punto de inflexión en el conflicto entre derechos de agua consuntivos y no consuntivos fue un caso que tuvo que ver con la Central Pangue en el alto Bío Bío (véase el mapa 2). Esta presa ha sido famosa a nivel nacional e internacional como una controversia sobre impactos ambientales y los derechos de los pueblos indígenas; se conoce mucho menos sobre su relación con el tema de los derechos de agua. A pesar de esto, una decisión hito de la Corte Suprema se centró directamente en los derechos de agua y mostró tanto a la corte como a la DGA bajo una luz poco favorable.

El caso giró en torno a muchos de los mismos temas que se presentaron en el caso de la Central Pehuenche en la cuenca del Maule. La Central Pangue, construida por Endesa, iba a generar una gran cantidad de energía, pero tendría un embalse bastante pequeño.[58] En 1993 una coalición de organizaciones ecologistas e indígenas y de regantes y asociaciones de regantes aguas abajo demandaron a Endesa para impedir la terminación de Pangue (la construcción ya había comenzado). La esencia de su argumento legal era familiar: los derechos de agua no consuntivos no incluían el derecho a alterar el caudal del río sin considerar los impactos sobre los titulares de derechos aguas abajo. Endesa contestó repitiendo todos sus argumentos en sentido contrario.

La Corte de Apelaciones de Concepción falló contra Endesa, tal como la Corte de Apelaciones de Santiago había hecho cuando fue confrontada la primera vez con el problema, y con el mismo razonamiento legal. La corte ordenó a Endesa suspender la construcción hasta que llegara a un acuerdo con los otros titulares de derechos de agua respecto a cómo operaría la central. Esta decisión disparó seis semanas de acalorados debates a nivel nacional antes de que la Corte Suprema la revocara.

Al revocar la decisión de la corte de apelaciones, la Corte Suprema finalmente falló sobre los temas sustantivos que estaban en juego. La corte abandonó su anterior protección de los derechos de propiedad de los regantes, descartó sus preocupaciones como exageradas y prematuras, y aceptó todos los argumentos de Endesa a favor de los derechos no consuntivos. Pangue podía recomenzar la construcción, llenar el embalse terminado y desarrollar su plan de funcionamiento sin negociarlo con otros usuarios de agua. Cualquier persona cuyos derechos resultaran afectados en el futuro podía entonces entablar demandas.

La Corte Suprema se basó en parte en un informe de la DGA en el cual la agencia revocaba su propia postura en el conflicto del Maule. Esta vez la DGA dijo que el embalse de Pangue no amenazaba necesariamente los derechos de agua aguas abajo, pero que su funcionamiento debería ser supervisado en el caso de futuros problemas. Es difícil interpretar este informe de la DGA como algo distinto de una respuesta a la presión política desde los niveles más altos del gobierno, para que no se pusieran obstáculos a la generación de electricidad.

En el curso de los meses que siguieron a la decisión de la Corte Suprema sobre Pangue, las cortes de apelaciones en Talca y Santiago aplicaron el mismo fallo a varios casos pendientes en la cuenca del Maule. Desde el punto de vista del sistema judicial, esta cuestión de interpretación legal había sido zanjada.

Desde la perspectiva del diseño de políticas públicas, sin embargo, la actuación de la Corte Suprema y su decisión final tenían graves deficiencias: eran imprevisibles, formalistas y superficiales. Las posiciones extremas adoptadas tanto por Endesa como por los regantes —que un tipo de derecho de agua debería tener absoluta supremacía sobre el otro— eran comprensibles en un conflicto legal privado. Desde la perspectiva de la gestión integrada de los recursos hídricos, no obstante, un resultado más razonable habría sido algún tipo de solución intermedia, o por lo menos alentar algún proceso para una negociación más equilibrada entre los usuarios de agua en competencia. La Corte Suprema socavó estos posibles resultados al enviar claras señales a las cortes de apelaciones respecto a que los intentos por lidiar con los temas sustantivos no eran bienvenidos. Y, sin embargo, cuando la Corte Suprema finalmente confrontó ella misma estos temas, adoptó una interpretación restringida y unilateral de la ley, imponiéndoles nuevas limitaciones a derechos de propiedad adquiridos sin exigir que los propietarios de la nueva y más rentable categoría de derecho de agua concedieran nada a cambio (ya fuera en términos financieros o en principio). Esto supuso una importante transferencia de riqueza de los regantes a las empresas eléctricas, y una significativa redefinición de los derechos de propiedad, sobre la base de un razonamiento legal de dudosa calidad.

Resulta irónico que los neoliberales chilenos se refieran tan a menudo al teorema de Coase como uno de los principios fundamentales del modelo chileno de derecho de aguas. El economista norteamericano Yoram Barzel, un experto en derechos de propiedad educado en la Universidad de Chicago, ha señalado que los problemas de cuencas hidrográficas descritos anteriormente tienen una explicación simple: los presupuestos del teorema de Coase no se han cumplido. En primer lugar, los derechos de propiedad no están claramente definidos. Puede que el Código de Aguas defina los derechos de agua tanto consuntivos como no consuntivos como privados, exclusivos y comerciables, pero esto es sólo un comienzo. Esas definiciones no son lo suficientemente precisas como para hacerse cargo del alcance y complejidad de las situaciones en las cuales esos usos del agua interactúan. En segundo lugar, los costes de transacción son obviamente significativos. En el contexto de los usos múltiples del agua y de la gestión de las cuencas hidrográficas, es un sueño pensar que estos costes de transacción podrían jamás acercarse lo suficiente a cero para que el teorema de Coase funcione.[59]

EVALUAR EL MARCO INSTITUCIONAL

Los conflictos de cuencas hidrográficas resumidos en las líneas precedentes indican cómo el marco legal e institucional chileno ha respondido a algunos de los problemas fundamentales de la gestión integrada de los recursos hídricos. Los resultados han sido desalentadores. La negociación privada ha fracasado en resolver estos conflictos. Tanto la DGA como los tribunales superiores han demostrado su preferencia por una interpretación estricta de la ley y un comportamiento altamente legalista. En asuntos rutinarios esta combinación ha funcionado razonablemente bien: la DGA ha sido cuidadosa a la hora de observar los límites de su autoridad, y los tribunales en general han deferido a la experiencia técnica de la agencia mientras de forma ocasional han corregido los errores administrativos evidentes. Con problemas más complejos, sin embargo —problemas que implican detalles técnicos, temas reguladores difíciles, y altos intereses económicos y políticos en juego—, la combinación ha funcionado bastante pobremente.[60]

Enfrentada a difíciles problemas de políticas públicas y disposiciones legales ambiguas, tales como el ejercicio de los derechos de agua no consuntivos o los impactos de los trasvases de agua entre cuencas, la DGA ha tendido a adoptar una posición legalista estrecha para protegerse de la crítica política y de demandas constitucionales. La agencia ha sido tan cuidadosa de no exceder sus deberes reguladores explícitos que casi siempre ha errado por el lado de un comportamiento más bien pasivo que asertivo.[61] Este tipo de comportamiento regulador es precisamente lo que el gobierno militar y sus asesores neoliberales pretendían en la Constitución de 1980, y se corresponde con su concepto del estado subsidiario.

Desafortunadamente, sin embargo, el sistema judicial a menudo ha evitado sus propias responsabilidades expandidas dentro de este marco institucional. Los tribunales superiores en particular han encontrado en numerosas ocasiones razones formales o de procedimiento para evitar fallar sobre lo esencial de temas difíciles de política pública, ya sea porque los temas son técnicamente difíciles de entender o porque involucran materias políticas así como legales. Cuando los tribunales han decidido sobre tales temas, a menudo lo han hecho sobre la base de análisis parciales o superficiales de los principios legales y del conjunto de intereses públicos y privados involucrados. La Corte Suprema ha liderado el proceso para establecer este modelo, y en Chile la Corte Suprema ejerce un control fuerte y centralizado sobre el sistema judicial nacional.

Esas medidas institucionales han dejado un vacío parcial en el proceso de toma de decisiones reguladoras, que tiene que ver precisamente con el tipo de temas difíciles que no sólo requieren experiencia técnica sino también juicio político. En este vacío parcial, los actores más poderosos pueden en general hacer lo que quieran. El modo más directo de resolver algunos de estos temas sería aclarar las reglas del juego a través de nueva legislación. Es más, para que el actual marco constitucional y regulador chileno funcione de modo efectivo, tiene que existir una frecuente intervención de las ramas legislativas del gobierno. De otra manera, cuando las agencias administrativas carecen de autoridad discrecional y los tribunales tienen potestades amplias para controlar acciones administrativas pero no son capaces o no están dispuestas a tratar cuestiones relativas a políticas públicas, el resultado más probable es la parálisis.

En muchas áreas de políticas públicas, sin embargo, tales acciones legislativas regulares han sido impedidas por una situación política de tipo punto muerto y eclipsadas por otras prioridades gubernamentales. La política hidrológica no es el único ejemplo. No hay razón para esperar que estas dinámicas cambien en el futuro inmediato. Podemos esperar que la creciente intensidad y complejidad de los conflictos de agua fuercen finalmente alguna acción legislativa, pero el peligro es que tal acción pueda ser impelida por la crisis inmediata más que por la cuidadosa deliberación.

En este contexto legal e institucional, crear nuevas organizaciones de cuencas hidrográficas tal como normalmente se las plantea en Chile sería casi con total seguridad ineficaz. Tales organizaciones suelen describirse como basadas en una amplia participación y coordinación de los actores tanto públicos como privados, pero con poca autoridad centralizada o de arriba abajo. Cualquier iniciativa para crear organizaciones con fuerza reguladora y con presupuestos adecuados se encontraría con la oposición de ambos sectores, el privado y el público. Las organizaciones se verían invalidadas por los fuertes derechos económicos privados de los usuarios de agua y por las restricciones constitucionales sobre el poder regulador. Sus acciones serían sujeto del control y revisión judiciales, tal como lo son otras agencias de gobierno. Y su misión y autoridad se solaparían con las de otras agencias de gobierno. Una alternativa propuesta —construir sobre las juntas de vigilancia existentes— no hace nada para evitar estos problemas sustantivos.

La solución sería un acuerdo legal que explícitamente afrontara los obstáculos constitucionales y que fuera apoyado por mayorías políticas lo suficientemente importantes como para superar las objeciones constitucionales. Tal como vimos en el capítulo III, tal grado de consenso político en Chile es, sin embargo, extremadamente improbable. Como resultado, la discusión sobre las organizaciones de cuencas hidrográficas sigue estando atascada entre una vaga retórica y débiles propuestas que no supondrían ninguna diferencia en los difíciles problemas de la gestión del agua.

Dada la obvia importancia de estos temas institucionales para la gestión del agua en Chile, es sorprendente que haya habido tan poca investigación al respecto, ya sea por parte de chilenos o extranjeros. Yo publiqué por primera vez mi teoría sobre lo inadecuado de los tribunales chilenos para lidiar con conflictos de agua en 1993. Desde entonces el argumento se ha repetido numerosas veces en Chile, tanto en documentos del gobierno como en trabajos académicos, y también se ha citado en algunas de las publicaciones del Banco Mundial; es más, parece haberse hecho parte de la sabiduría convencional respecto a la gestión del agua en Chile. En publicaciones posteriores continué destacando el papel central y problemático que desempeñan los tribunales en el marco regulador de Chile.[62] Otros investigadores, sin embargo, no han seguido profundizando en los temas. No ha habido estudios adicionales del funcionamiento judicial y del proceso de toma de decisiones en los conflictos de agua, ni de los patrones de razonamiento e interpretación judicial, ni sobre las relaciones entre los tribunales y la DGA, ni sobre las alternativas no judiciales para la resolución de conflictos. Incluso los problemas legales específicos suscitados por la relación entre los derechos de agua consuntivos y los no consuntivos, a pesar de su notoriedad, han permanecido intocados por los investigadores académicos y ausentes de las reformas del Código de Aguas propuestas por el gobierno.

A pesar de que el descuido de estos temas por parte del gobierno se debe a lo sensibles que son políticamente, la falta de investigación también tiene una explicación más profunda: las limitaciones intelectuales de las disciplinas académicas y profesionales. Tanto en Chile como en otros lugares de América Latina, los estudios interdisciplinarios son poco frecuentes. Las materias y los métodos analíticos de diferentes disciplinas tienden a ser definidas de forma reduccionista y las fronteras entre las disciplinas a ser controladas estrictamente.

Las disciplinas más importantes en el campo de la gestión de los recursos hídricos en Chile son la ingeniería, la economía y el derecho. Los ingenieros son los profesionales más numerosos en este campo, y su experiencia de trabajo a menudo los hace conocedores de la gestión del agua. A pesar de esto, la naturaleza técnica de la ingeniería significa que en ella hay poco espacio para las ciencias sociales y políticas o para el análisis legal, institucional y de políticas públicas.

Los economistas no han sido mucho mejores cuando se trata de investigar en esta área. Resolver conflictos y gestionar cuencas hidrográficas son esencialmente asuntos que tienen que ver con medidas legales, institucionales y políticas. Prácticamente toda la investigación económica sobre los mercados de aguas chilenos, sin embargo, ha sido realizada por economistas educados en la tradición neoclásica ortodoxa. A ellos les ha faltado el bagaje, los métodos analíticos y a menudo el interés necesario para estudiar temas institucionales, excepto como el telón de fondo para las transacciones de derechos de agua. En el mejor de los casos, reconocen los problemas más amplios sin examinarlos en mayor profundidad.

Por ejemplo, en la revisión de los mercados de aguas chilenos de Guillermo Donoso discutida antes en este capítulo, se descartan los conflictos entre los derechos de agua consuntivos y no consuntivos así: «no es un problema muy relevante, ya que sólo han ocurrido en unas pocas cuencas».[63] Ésta es la extensión de su análisis del tema. Sin embargo, esas cuencas están entre las más importantes de Chile, y el problema se va a repetir en otras cuencas a medida que el desarrollo hidroeléctrico continúe. Lo que es más importante, a Donoso se le escapa la significación más amplia del problema como indicación de las deficiencias del marco institucional en términos de la coordinación de los usos del agua y de la resolución de conflictos de cuencas hidrográficas. Lo que interesa aquí no es si su opinión es correcta, sino más bien el hecho de que él no examina el tema mismo más concienzudamente.

Por su parte, los abogados en Chile han sido educados en una tradición legal que es altamente formalista y está centrada en la letra y la lógica abstracta de la ley en deliberado aislamiento de su contexto social y político. Éste es el enfoque del «derecho en los libros» *(law on the books),* en oposición al campo interdisciplinario del «derecho en acción» *(law in action)* de los estudios sociolegales, un campo que apenas existe en América Latina. En Chile el enfoque estrecho y semántico del derecho domina de tal manera que prácticamente no ha habido investigación sobre los aspectos legales de los derechos de agua o de la gestión de las cuencas hidrográficas en la práctica. Los eruditos legales así como los jueces se han restringido a análisis legales «puros», que han contribuido poco a la comprensión práctica de los debates de políticas públicas sobre los temas relativos a la gestión del agua.[64]

Finalmente, las investigaciones en las ciencias ecológicas y ambientales han tenido poca influencia en la gestión de las cuencas hidrográficas. La DGA y otras agencias gubernamentales a veces contratan tales investigaciones a las universidades y pueden tomarlas en consideración en su propio proceso de toma de decisiones. Pero la falta de poder regulador de las agencias significa que la información ambiental ha tenido un impacto limitado sobre los usos del agua. La protección ambiental en Chile es todavía débil en relación con los derechos de propiedad y las presiones por el crecimiento económico.

TEMAS EMERGENTES EN LA POLÍTICA HIDROLÓGICA CHILENA

Varios temas nuevos sobre políticas hidrológicas han emergido en Chile desde mediados de la década de los noventa, además de los planteados hasta ahora. Éstos reflejan la continua evolución de las condiciones económicas y políticas en Chile, incluyendo cambios en la opinión pública, la cobertura de los medios, el equilibrio de las fuerzas políticas, y las preocupaciones de las ONG y de otros grupos de interés.

Mi objetivo aquí es simplemente mencionar estos temas en pocas palabras para transmitir una percepción de la creciente complejidad del campo de la política hidrológica chilena y de la gestión de los recursos hídricos. Todos estos temas han aumentado la presión sobre el marco legal e institucional existente y por lo tanto han destacado la necesidad de mejorar la capacidad institucional y reguladora. A pesar de que los temas emergentes están íntimamente relacionados con los mercados de aguas, en su mayor parte caen fuera del alcance de la investigación existente sobre esos mercados y así ofrecen importantes ámbitos para la investigación futura.[65]

Sin intentar enumerarlos en orden de importancia, los temas emergentes son los siguientes:

* *La persistente incertidumbre, confusión y complejidad de los títulos legales de los derechos de agua en muchas zonas del país.* El gobierno ha hecho un progreso gradual tendente a crear y mantener un registro nacional de los títulos de

derechos de agua completo y puesto al día, pero este proceso todavía está en sus etapas iniciales. Existe un amplio consenso político respecto a que modernizar la información legal e hidrológica sobre los derechos de agua va a ser un paso vital para mejorar el funcionamiento de los mercados de agua y la gestión de los recursos hídricos.

- *La privatización de las empresas de agua potable urbana en las regiones más populosas del país, particularmente las áreas metropolitanas de Santiago, Valparaíso y Concepción.* La decisión del gobierno de mantener la propiedad de los derechos de agua de las empresas (en contraste con la decisión del gobierno militar de privatizar los derechos de agua de Endesa junto con los otros activos de la empresa) ha sido controvertida. Falta ver cómo encajarán el uso y gestión del agua por parte de las empresas privadas en el contexto general de la gestión de las cuencas hidrográficas y de la coordinación con otros usos del agua.

- *El desarrollo, uso y regulación de las aguas subterráneas.* El agua subterránea era antes un recurso poco utilizado, pero en años recientes la demanda ha crecido, especialmente en las regiones desiertas del norte, donde el agua superficial es muy escasa. Grandes proyectos mineros, ciudades en crecimiento y la expansión del cultivo de productos agrícolas de alto valor han aumentado de forma muy importante la demanda de agua en áreas áridas, pero la DGA se ha negado a otorgar todos los nuevos derechos a aguas subterráneas que han sido solicitados, y como resultado la agencia se ha visto enredada en conflictos con grupos de interés del sector privado y con la Contraloría General de la República. La DGA ha argumentado que los datos hidrológicos no constatan la disponibilidad física de agua subterránea suficiente.

- *Los derechos y necesidades de agua de las comunidades indígenas, particularmente en las áreas desiertas y montañosas del norte.* La economía de subsistencia de estas comunidades dependiente de ciertos cultivos y de la crianza de ganado ha sido amenazada por la competencia ejercida

173

por la demanda de agua de proyectos mineros y de las crecientes ciudades en la costa norte. Estos conflictos se han visto complicados aún más por las distintas visiones culturales de los pueblos indígenas respecto de la importancia del agua, que son a menudo incompatibles con la lógica mercantil del actual Código de Aguas. En el sur de Chile los conflictos entre las comunidades indígenas y Endesa continúan respecto a la construcción de centrales hidroeléctricas en la cuenca alta del río Bío Bío: después de construirse la Central Pangue, Endesa comenzó la construcción del proyecto Ralco, que está programado para ser terminado en el año 2004.

• *Los esfuerzos del gobierno para promover concesiones privadas para construir y poner en marcha nueva infraestructura relacionada con el agua, particularmente embalses para riego.* El Ministerio de Obras Públicas ha adaptado el sistema para el otorgamiento de concesiones privadas al desarrollo de otros tipos de infraestructura, tales como autopistas y puertos. Respecto a embalses, esto ha suscitado dos interrogantes que todavía no se han contestado: primero, ¿en qué condiciones pueden tales proyectos ser rentables sin importantes subsidios gubernamentales?, y segundo, ¿cómo va a encajar la gestión de estos embalses en el marco institucional existente para la gestión de las cuencas hidrográficas, incluyendo la coordinación de usos múltiples del agua y la resolución de conflictos de aguas?

• *La creciente necesidad de protección ambiental de los recursos hídricos y de los ecosistemas fluviales.* La DGA ha intentado establecer caudales mínimos dentro del cauce para fines ecológicos *(in-stream flows)*, lo que es una tarea difícil en un país donde la mayoría de los derechos de agua ya han sido otorgados y donde la autoridad reguladora es débil. La legislación ambiental nacional promulgada en 1994 ha proporcionado algún apoyo para proteger caudales mínimos ecológicos, principalmente en el proceso de evaluar los impactos ambientales de las centrales propuestas. Aparte de

174

la protección de dichos caudales, el nivel de contaminación de las aguas ha comenzado a mejorar en algunas áreas urbanas, gracias a la construcción de nuevas plantas de tratamiento de agua. Estas plantas nuevas, construidas como parte de la privatización de las empresas de agua potable, elevarán los precios pagados por los consumidores de agua urbanos. Además, no se ha resuelto en definitiva de quién son las aguas tratadas. Queda mucho por hacer en estas áreas en un país cuya economía se basa en la explotación y exportación de diversos recursos naturales.

- *Los largamente pendientes y altamente controvertidos debates sobre las reformas en la regulación eléctrica.*
A pesar de que su forma final no está clara, estas reformas tienen impactos potencialmente mayores en la gestión de las cuencas hidrográficas debido a que el país depende fuertemente de la energía hidroeléctrica. Más aún, las medidas institucionales para la resolución de conflictos en el sector eléctrico comparten los problemas discutidos anteriormente en relación con los derechos de agua; en otras palabras, la debilidad de las agencias reguladoras y las deficiencias del sistema judicial.

V. Conclusiones y lecciones sobre la experiencia chilena

C hile ha tenido ahora más de veinte años de experiencia con la ley de aguas más puramente de libre mercado del mundo, y esta experiencia ofrece lecciones valiosas para las reformas de políticas hidrológicas tanto nacionales como internacionales. El modelo chileno de derechos de agua y de gestión de los recursos hídricos es importante porque es un ejemplo paradigmático de un enfoque de libre mercado del derecho y economía de las aguas, y, por lo tanto, la experiencia chilena es relevante para los temas relativos a políticas hidrológicas en el ámbito internacional más amplio descrito al comienzo de este libro.

Tal como se planteaba en el capítulo I, desde los inicios de los años noventa ha existido un debate internacional cada vez más urgente sobre una crisis global del agua. El aumento constante de la demanda y de la competencia por los recursos hídricos en todo el mundo ha causado cada vez más escasez y conflictos. A medida que estos problemas han ido empeorando y se han hecho cada vez más obvios, han conducido a un consenso internacional respecto a la necesidad de efectuar reformas sustanciales de la manera en que el agua es utilizada y administrada, reformas de las que a menudo se dice que apuntan hacia una gestión

más integrada de los recursos hídricos (GIRH). La GIRH pretende ser holística, completa, interdisciplinaria y sostenible en el
largo plazo. El objetivo es incorporar los tres elementos que suelen considerarse constituyentes del desarrollo sostenible: eficiencia y crecimiento económico, equidad social, y protección
ambiental. En la práctica, abordar todas estas cuestiones es, por
supuesto, extremadamente difícil. El creciente reconocimiento de
esta dificultad ha inspirado el reciente enfoque internacional de
la gobernanza del agua, con su preocupación cada vez mayor respecto a los aspectos sociales, políticos e institucionales de la
administración de las aguas, más que los aspectos más técnicos
que tradicionalmente han dominado el ámbito.

Uno de los principios fundamentales de la GIRH es que el
agua debería ser reconocida como un «bien económico». Pero
¿qué significa esta frase, y cuáles son las implicaciones en términos de políticas públicas? ¿Cómo se relaciona esto con los objetivos más amplios de la GIRH y de una mejor gobernanza de las
aguas? En el capítulo I mostré que el rango de perspectivas económicas respecto de estas cuestiones refleja diferentes enfoques
intelectuales, disciplinarios y políticos del análisis económico.
Describí este rango como un espectro de perspectivas económicas
que van de «estrechas» a «amplias»: las primeras se refieren a
análisis neoclásicos más técnicos y matemáticos (que pueden o no
contener una preferencia ideológica hacia los mercados libres), y
las segundas se alimentan más de la historia y de otras ciencias
sociales y prestan más atención a los temas institucionales.

Para los propósitos de este libro, la distinción crucial entre
las diferentes perspectivas económicas radica en cómo abordan el
contexto institucional y los fundamentos institucionales del mercado; en términos simples, las reglas del juego. Las instituciones
aquí son principalmente los sistemas legales y políticos, a pesar
de que pueden también incluir otras normas sociales. Tal como
expliqué en el capítulo I, no estoy sugiriendo que quienes tienen
perspectivas económicas más estrechas ignoren o nieguen la
importancia de tales medidas institucionales. Lo que sí digo es
que su análisis de tales medidas generalmente no tiene mucha
profundidad y está determinado por los presupuestos de la teoría

neoclásica sobre las leyes, las instituciones y el gobierno que se necesitan para que los mercados funcionen. Por ejemplo, este análisis depende de derechos de propiedad claramente definidos y del cumplimiento de contratos, sin profundizar más en las complejidades sociales y políticas implícitas en tales presupuestos.

En cuanto al concepto del agua como un bien económico, hay dos perspectivas económicas generales. Una es que el agua debería tratarse como un recurso escaso; la otra es que el agua debería ser una mercancía privada y comerciable. Ambas posiciones concuerdan en que asignar el agua implica opciones y compensaciones difíciles, para las cuales los incentivos económicos pueden ser herramientas poderosas. Pero las dos posturas tienen implicaciones muy diferentes respecto al papel de los mercados y a las medidas legales, institucionales y reguladoras, tal como ilustra claramente el ejemplo de Chile.

Las medidas institucionales que son críticas para la GIRH son aquellas requeridas para definir y hacer cumplir los derechos de propiedad, para coordinar distintos usos del agua dentro de las cuencas hidrográficas, para internalizar las externalidades ambientales y económicas, para resolver conflictos y para supervisar el cumplimiento. Por su propia naturaleza estos procesos están todos interrelacionados. Más aún, tienen aspectos sociales y políticos inevitables, ya que asignan costes y beneficios entre diferentes personas y determinan quién gana y quién pierde. Como las diferentes perspectivas económicas conforman el diseño de estas medidas institucionales, los intereses en juego son altos.

En resumen, la pregunta esencial planteada en este libro es si un enfoque estrecho y de libre mercado de la economía es compatible con la GIRH. Mi argumento es que la experiencia chilena demuestra que la respuesta es no. A pesar de que este enfoque tiene algunos beneficios económicos, sus consecuencias institucionales han llevado a serios problemas estructurales en los ámbitos de la administración y de la regulación. Las ventajas del modelo chileno del derecho de aguas y de los mercados de aguas traen aparejadas significativas desventajas, y, por lo tanto, el modelo sólo puede ser considerado exitoso (o un ejemplo de buena práctica) según criterios que son demasiado limitados. Esto explica el título del libro y la alusión a Odiseo: el modelo chileno es como un canto de sirenas para los reformistas de políticas de aguas en otros países, porque parece tan atractivo que la gente no ve sus peligros.

En este capítulo resumiré primero las conclusiones y lecciones que son específicas de Chile, y posteriormente las conclusiones y lecciones para otros países y para el escenario internacional más amplio.

CHILE: MIRANDO HACIA ATRÁS DESDE EL AÑO 2004

Si revisamos los más de veinte años desde la promulgación del Código de Aguas de 1981, y particularmente el período desde el retorno de Chile a un gobierno democrático en 1990, destacan dos tendencias.

En primer lugar, ha habido una gran cantidad de debate político y sobre políticas públicas respecto a los derechos de agua y los mercados de aguas en Chile, pero ha habido mucha menos investigación académica o empírica; esto es, investigación que intenta ser imparcial más que estar amarrada a posiciones políticas determinadas. Gran parte de las investigaciones académicas han sido realizadas por norteamericanos, y gran parte de las investigaciones sobre políticas públicas han sido hechas por personas de organizaciones internacionales. La relativa carencia de investigaciones empíricas llevadas a cabo por chilenos es tanto una causa como un efecto de la naturaleza altamente politizada del debate doméstico sobre políticas hidrológicas.

En segundo lugar, dos temas relacionados, o conjuntos de temas, han dominado las discusiones en ambos ámbitos, el de las políticas públicas y el académico:

* ¿Cuáles deberían ser las reglas básicas que definan los derechos de propiedad de las aguas? ¿Cómo han afectado las normas actuales, que son extremadamente *laissez faire,* a los incentivos económicos para el uso del agua? ¿Existen alternativas mejores?

- ¿Cómo han funcionado los mercados de agua en la práctica? ¿Cuáles han sido sus fortalezas y sus debilidades, y cómo podrían mejorarse mediante reformas legislativas o reguladoras?

Ambos conjuntos de temas se han debatido acaloradamente en Chile. Fuera del país, en contraste, casi toda la atención ha estado dirigida al segundo conjunto de temas: los mercados de aguas chilenos. Examiné estos temas en detalle en los capítulos III y IV, y me referiré a ellos aquí en el orden inverso: primero los resultados empíricos de los mercados de agua, y luego el debate político sobre la reforma del Código de Aguas.

RESULTADOS EMPÍRICOS DEL CÓDIGO DE AGUAS DE 1981

Podemos evaluar los resultados empíricos del actual Código de Aguas de dos maneras: 1) comparándolos con los objetivos originales de la ley hace más de veinte años atrás; y 2) comparándolos con los temas considerados críticos para la gestión integrada de los recursos hídricos.[1] Los objetivos originales de la ley, desde luego, fueron determinados por las fuertes visiones políticas e ideológicas del gobierno militar chileno y de sus asesores civiles, tal como se plantea en el capítulo II. Muchas personas tanto dentro como fuera de Chile no comparten esas visiones. Al comparar los resultados de la ley con estos objetivos, por lo tanto, no es mi intención implicar que los objetivos mismos fueran necesariamente correctos.

Comparación con los objetivos originales del Código de Aguas

Es importante recordar varios puntos generales de la discusión que hiciéramos en el capítulo II sobre el trasfondo político y la historia legislativa del Código de Aguas. Cuando se estaba redactando el Código de Aguas a finales de los años setenta y a comienzos de los ochenta, las principales preocupaciones eran el riego y

181

la agricultura. Se prestaba relativamente poca atención a los temas hídricos no agrícolas, salvo suponer que los mercados libres reasignarían algunas reservas de aguas agrícolas a usos no agrícolas. En lo concerniente a otros temas, la teoría económica de libre mercado se aplicaba simplemente a la administración de las aguas sin hacer mucho esfuerzo para adaptarla a las características específicas de los recursos hídricos. El mejor ejemplo de esto es el enfoque *laissez faire* de la coordinación de los diferentes usos de las aguas dentro de las cuencas hidrográficas. Otro ejemplo es la inadecuada definición de las normas que gobiernan la nueva categoría de derechos de agua no consuntivos. Por último, cabe recordar que los temas de calidad de las aguas y de protección ambiental se dejaron casi enteramente fuera del Código de Aguas.

También es importante tener presente que algunos de los elementos fundamentales del modelo chileno de derecho de aguas han sido determinados por la Constitución de 1980 más que por el Código de Aguas de 1981. Uno de estos elementos es la disposición constitucional que declara que los derechos de agua son propiedad privada, que goza de una muy fuerte protección respecto de la intervención gubernamental. Un segundo elemento es la estructura básica del marco institucional y regulador, en particular el poder limitado de la agencia administrativa gubernamental, la Dirección General de Aguas (DGA), y la fuerte y amplia autoridad del sistema judicial. Este marco es lo que determina la resolución de los conflictos de aguas y las funciones institucionales relacionadas descritas anteriormente.

El Código de Aguas, apoyado por la Constitución, ha sido bastante efectivo en el logro de varias de sus prioridades originales, principalmente aquellas que tienen que ver con el fortalecimiento de los derechos de propiedad privada:

- La seguridad legal de los derechos de propiedad privada ha fomentado la inversión privada en el uso de aguas y su infraestructura. El nivel de esta inversión ha variado en diferentes lugares del país; ha permitido nuevos proyectos mineros, especialmente en el norte de Chile, y el cultivo de frutas y verduras de alto valor para la exportación.

- Se ha consolidado la contrarreforma en la tenencia de tierras agrícolas.
- Se ha restringido severamente la regulación gubernamental del uso y administración del agua.
- La libertad para comerciar derechos de agua ha permitido la reasignación de recursos hídricos en ciertas circunstancias y en ciertas áreas geográficas.
- Se ha afirmado la autonomía de las asociaciones privadas de regantes, en relación con el gobierno, lo que, en algunos casos, ha fomentado el que estas organizaciones mejoren su capacidad administrativa y técnica; sin embargo, estas asociaciones operan solamente en el sector agrícola y rara vez incluyen a los usuarios de agua no agrícolas.
- La creación de derechos de agua no consuntivos ha propiciado el desarrollo de la energía hidroeléctrica, primero por empresas gubernamentales y después por empresas privadas, aunque con impactos serios y no compensados sobre otros usuarios, sobre todo los regantes.

El Código de Aguas ha sido mucho menos efectivo en lograr otros objetivos originales, en particular aquellos que tienen que ver con el fluido funcionamiento de los mercados de aguas y con los incentivos de mercado. Esta observación empírica es ahora ampliamente aceptada por los expertos chilenos en aguas, aunque no por los más fuertes defensores políticos de la ley. Nótese que algunos de estos resultados representan una falta de éxito más que un fracaso; otros son más claramente negativos:

- Los incentivos de mercado para promover un uso más eficiente del agua, sobre todo en el sector agrícola, no han funcionado como se esperaba. La eficiencia del riego sigue siendo muy baja a nivel nacional, y en las pocas áreas donde ésta ha aumentado, el cambio refleja factores ajenos a los del mercado de aguas; a saber, inversiones para mejorar el rendimiento de las cosechas o para reducir los costes del trabajo y del mantenimiento de los canales. Las inversiones en estas áreas han sido fomentadas por la seguridad legal de los derechos de propiedad, pero no por los incentivos de mercado a vender los derechos de agua sin uso o excedentes; tales derechos pocas veces se venden.

- Se ha hecho necesario que el gobierno continúe subsidiando la construcción y el mantenimiento de los canales de riego de escala menor, media y mayor.

- Los ejemplos de actividad de mercado significativa, tal como indican la cantidad de recursos hídricos reasignados o la frecuencia de las transacciones de derechos de agua, siguen estando limitados a unas pocas regiones del norte desértico y del área metropolitana de Santiago.

- Las definiciones específicas de los derechos de agua siguen siendo vagas o incompletas; los detalles legales y técnicos son inadecuados y confusos en la mayor parte del país.

- La idea de que las fuerzas del mercado beneficiarían a los campesinos y a los agricultores pobres al mejorar su acceso a, o dominio de, recursos de agua, en general ha fallado. Si algo ha sucedido, es más bien que el mercado de aguas parece haber perjudicado a muchos de estos agricultores más de lo que los ha ayudado, a pesar de que no hay suficiente evidencia para hacer generalizaciones taxativas.

- Confiar en la negociación entre organismos privados para coordinar los diferentes usos del agua y resolver los conflictos de aguas, particularmente entre derechos de agua consuntivos y no consuntivos, ha fallado. Ni la DGA ni los tribunales han reparado el problema de forma adecuada o fiable.

- En el sector hidroeléctrico, los derechos de agua no consuntivos han estado sujetos a problemas de especulación, de propiedad concentrada y de poder monopolístico privado.

El dispar funcionamiento de los mercados de aguas chilenos se debe a la diversidad de factores que dan forma a los contextos sociales, institucionales y geográficos más amplios de estos mercados. Las medidas institucionales —las reglas del juego— han estado entre los más importantes de estos factores.[2] La definición *laissez faire* de los derechos de propiedad del Código de Aguas obviamente ha tenido un fuerte impacto en los incentivos y desincentivos económicos específicos que deben afrontar los usuarios de aguas y los propietarios de derechos de agua.

Comparación con temas ignorados hace veinte años pero críticos hoy en día

Los resultados más negativos del Código de Aguas están relacionados con temas que apenas eran motivo de preocupación en Chile en 1981, pero que han emergido como cada vez más críticos desde comienzos de los años noventa. Se trata de problemas económicos, ambientales y sociales que están en el corazón de los debates internacionales contemporáneos sobre la gestión integrada de los recursos hídricos y la gobernanza del agua:

- Gestión de cuencas hidrográficas, coordinación de usos múltiples del agua, y gestión conjunta de las aguas superficiales y subterráneas.
- Resolución de conflictos de aguas, ya sea a través de procesos judiciales o no judiciales.
- Internalización de las externalidades tanto económicas como ambientales.
- Aclaración, cumplimiento y seguimiento de las relaciones entre diferentes derechos de propiedad y sus deberes asociados, tales como los derechos de agua consuntivos y no consuntivos.
- Protección ambiental y ecosistémica, incluido el mantenimiento de caudales mínimos para fines ambientales.
- Asistencia del sector público a los agricultores pobres para mejorar la equidad social en lo relativo a los derechos de agua y los mercados de aguas.

Describí algunos ejemplos concretos de estos problemas en el capítulo IV. En el marco institucional chileno actual, estos temas se han abordado en general de una manera *ad hoc* o ineficaz, y, en algunos casos, simplemente no se han abordado. Muchas de las deficiencias del marco existente han sido ampliamente reconocidas por los expertos chilenos en aguas, sin importar sus perspectivas políticas. En algunas áreas la investigación empírica todavía no existe, o es insuficiente para poder sacar conclusiones definitivas, a pesar de que la evidencia disponible indica por lo menos que han existido problemas.[3]

Las investigaciones realizadas sobre el Código de Aguas chileno han tenido fortalezas y debilidades. El haber centrado la atención de forma relativamente unidireccional en los mercados de aguas y en el comercio de derechos de agua significa que hoy entendemos mucho mejor que antes cómo han funcionado estos aspectos, y éste es un importante paso hacia adelante. Sin embargo, este enfoque también ha tenido importantes puntos ciegos. Nuestra mejor comprensión de los mercados la hemos logrado a costa de descuidar otros temas relativos a la administración de las aguas y al funcionamiento institucional que son por lo menos tan importantes como lo primero. La administración de los recursos hídricos es mucho más que una simple asignación de recursos, cualesquiera que sean los mecanismos de asignación.

Debido a que el Código de Aguas no se refirió a los problemas económicos, ambientales y sociales más amplios que son importantes hoy, puede ser injusto criticarlo por su fracaso en resolverlos. Pero ésta no es la cuestión aquí. Más bien, el actual marco legal e institucional —que es determinado tanto por la Constitución como por el Código de Aguas— ha demostrado ser incapaz de gestionar estos problemas imprevistos. El marco actual, tal como hemos visto, se caracteriza por una combinación de elementos que se refuerzan unos a otros para mantener el *statu quo:* derechos económicos privados fuertes y definidos de forma amplia; autoridad gubernamental reguladora severamente restringida; y un sistema judicial poderoso pero errático, poco capacitado para el análisis de políticas públicas, reticente a intervenir en temas con implicaciones políticas, y comprometido con un concepto del derecho limitado y formalista. Los problemas de administración de las aguas sólo empeorarán a medida que la demanda y la competencia por las aguas continúen aumentando, ejerciendo aún más presión sobre el marco institucional existente.

En vista de estos dispares resultados y de los problemas identificados, ¿cuáles son las posibilidades de mejorar y modificar el actual marco en Chile? Es esencial algún tipo de reforma significativa, pero las barreras políticas y constitucionales para tales reformas son elevadas. El marco legal e institucional del Código de Aguas, cuya forma está dada por su enfoque original de la agricultura y arraigado en el contexto político e ideológico existente a finales de los años setenta, está constitucionalmente amarrado.

DEBATE POLÍTICO SOBRE LA REFORMA DEL CÓDIGO DE AGUAS

Ya a comienzos del año 2004 los defensores del Código de Aguas en Chile habían resistido con éxito más de diez años de esfuerzos gubernamentales en busca de una reforma legislativa.[4] Desde el retorno de Chile al gobierno democrático en 1990, se ha dado un continuo debate político nacional sobre cómo modificar o mejorar las leyes de aguas. El tema central ha sido la definición de los derechos de agua: cómo cambiar las normas legales y los incentivos económicos que afectan al uso privado de las aguas. En las reformas propuestas se han incluido otros temas relacionados con las políticas hidrológicas, tales como la gestión de las cuencas hidrográficas y la protección de caudales mínimos ecológicos, pero han sido eclipsados y finalmente desplazados por la acalorada controversia sobre los derechos de agua.

El gobierno chileno ha ganado algunas victorias tácticas sobre sus oponentes políticos y se las ha arreglado para mantener el proceso vivo, aunque no siempre avanzando. La verdad, sin embargo, es que a principios del año 2004 el Código de Aguas seguía todavía intacto y que las posibilidades de cambio en el futuro cercano siguen siendo inciertas. Y, en todo caso, los términos del debate y la amplitud de las reformas propuestas se han restringido considerablemente; incluso si las reformas se aprueban más adelante, los impactos en la gestión del agua serán limitados.

¿Cómo podemos explicar este punto muerto y esta falta de progreso después de tanto gasto de tiempo y energía?[5] La agenda gubernamental para la reforma ha sido socavada por dos errores de estrategia política. El primer error fue evidente en su época: el diseño y presentación de la primera ronda de reformas propuestas a comienzos de los años noventa. En el contexto de la política contemporánea chilena y de las medidas constitucionales, estas propuestas fueron demasiado agresivas en su crítica del actual modelo, y, al mismo tiempo, demasiado vagas en sus detalles legales, para tener éxito. Los mayores problemas eran la norma que se pretendía imponer a los derechos de agua de usarlos-o-perderlos en cinco años y la propuesta para las nuevas organizaciones de gestión de las cuencas hidrográficas.

El gobierno, liderado por la DGA, creía al parecer que el consenso político respecto a la necesidad de reformar los principios básicos del Código de Aguas no hacía necesario tener que conquistar el apoyo de la oposición. Cuando la DGA puso sobre la mesa sus torpes y más bien pobremente consideradas sugerencias, con la expectativa de negociar algunos de los detalles, muchos usuarios de aguas, así como los oponentes ideológicos, se opusieron. La polarización resultante ha tenido un impacto duradero: no solamente condenó la primera ronda de reformas, sino que también elevó las sospechas de los contrarios de un modo tal que perjudicó las posibilidades de cooperación futura.

El segundo cálculo erróneo del gobierno, a mediados de los años noventa, es más evidente en retrospectiva: subestimó seriamente el dogmatismo ideológico y la intransigencia política de la oposición. La DGA había aprendido del fracaso de la primera ronda de propuestas e hizo su segundo conjunto de propuestas más limitado y pragmático. Además, el diagnóstico global de la DGA y su análisis de los temas relativos a la gestión del agua, tal como fueran descritos en los documentos que bosquejan la nueva Política Nacional de Recursos Hídricos, eran en general equilibrados, completos y cuidadosamente considerados. El personal de la agencia mostró una clara conciencia y comprensión de los debates contemporáneos internacionales sobre políticas hidrológicas y gestión del agua. Matizaron la postura del gobierno respecto a los mercados de aguas, para reconocer los beneficios de tales mercados, siempre y cuando éstos fuesen regulados de forma más adecuada. Desafortunadamente, el gobierno sobrestimó la disposición de la oposición para negociar y gastó su capital político tratando de lograr un paso relativamente menor e inicial en el proceso de la reforma: establecer tasas por el no uso de derechos de agua.

Dado que los méritos de esas tasas son discutibles, resulta doblemente desafortunado que hayan dominado el debate público sobre leyes de aguas desde entonces. Las tasas por no uso tienen algunos inconvenientes como instrumento de política pública, tal como se discutió en el capítulo III, pero, desde mi punto de vista, habrían sido aceptables si se hubieran podido aprobar fácilmente. Sin embargo, se prestó tanta atención a las tasas por no uso que las reformas más importantes se dejaron de lado.

¿Cómo terminó el gobierno dedicando tanto esfuerzo a una medida de reforma tan menor y con deficiencias? ¿Por qué los reformistas fueron incapaces o no estuvieron dispuestos a reevaluar su enfoque a lo largo del proceso? Pareciera que en muchas instancias durante el largo y arrastrado debate político, personas clave del gobierno pensaron que el Congreso estaba a punto de aprobar las tasas por el no uso, y que entonces ellos podrían avanzar a los temas que realmente importaban. Un factor relacionado era el ímpetu y el capital político que el gobierno había invertido en su estrategia escogida: cuanto más tiempo pasaba, más difícil era cambiar el rumbo. Y, finalmente, el gobierno fue motivado por los problemas reguladores del sector eléctrico, donde los temas del monopolio privado de la energía y de la propiedad concentrada de los derechos no consuntivos afectaban al debate sobre el Código de Aguas. Estas cuestiones relacionadas con el sector eléctrico, de hecho, tenían por lo general mayor visibilidad pública y política que los temas relativos al agua.

En retrospectiva, el gobierno probablemente debería haber abandonado la propuesta de las tasas por no uso en 1997 ó 1998, cuando los contrarios a la reforma habían dejado claro que pelearían contra la propuesta a brazo partido (a pesar de sus insinuaciones en sentido contrario unos pocos años antes). En ese momento el gobierno podría haber hecho que la oposición pusiera las cartas boca arriba aceptando la alternativa de los impuestos a los derechos de agua. Incluso si tales impuestos no se podían aplicar realmente, por todas las razones prácticas y políticas discutidas en el capítulo III, esta estrategia habría eliminado el blanco político más fácil de los antirreformistas y su más eficaz argumento en términos de políticas públicas, y quizás podría haberlos obligado a un genuino diálogo sobre las propuestas del gobierno.

Desde el punto de vista de muchos de los contrarios a la reforma, por supuesto, la falta de progreso durante la década pasada ha sido una victoria política. Respecto a esto, es importante distinguir entre dos tendencias diferentes dentro de la oposición. Por un lado, algunos de los argumentos contra las reformas propuestas han sido razonables y bien fundados y han apuntado a las debilidades o inconsistencias en los argumentos del gobierno, tal como se ha resumido al final del capítulo III.[6] El escepticismo sobre la verdadera postura del gobierno respecto al papel de los mercados en la administración de las aguas es comprensible, dado que esta posición en ocasiones ha sido ambivalente. Los propietarios en Chile, después de todo, tienen razones históricas sólidas y bastante recientes para desconfiar de agencias de gobierno con poderes discrecionales amplios (a pesar de que la actual Constitución y el marco institucional proporcionan poderosos controles para impedir que la historia se repita).

Por otro lado, muchos oponentes a la reforma del Código de Aguas han sido altamente ideológicos, políticamente intransigentes y no dispuestos a negociar soluciones intermedias. Su actitud ha sido evidente a través de la década de los noventa y, en todo caso, se ha ido haciendo más fuerte en el curso del tiempo, quizás porque ha sido políticamente eficaz. Muchos de los argumentos de política pública de los antirreformistas han sido tácticas políticas más que críticas constructivas o contrapropuestas. A pesar de su retórica sobre la necesidad de una reforma y de mejores instrumentos económicos, al final del día estos oponentes no han estado dispuestos a llegar a un acuerdo respecto a ningún cambio significativo. Las críticas respecto a la postura supuestamente antimercado del gobierno se han exagerado mucho para causar un efecto político, y reflejan la naturaleza altamente ideológica del debate político en Chile, en el que cualquiera que no es un neoliberal con orientación de libre mercado puede ser acusado de ser antimercado. El mejor ejemplo de la combinación de habilidad política e insinceridad de los antirreformistas es su argumento a favor de los impuestos a los derechos de agua, una medida de reforma que sería muy poco probable que ellos alguna vez apoyaran en la práctica.

Así, las reformas del Código de Aguas han fracasado porque la Constitución de 1980 y sus medidas institucionales asociadas están fuertemente sesgadas a favor de los intereses políticos de derecha, de una economía *laissez faire* y de los derechos de propiedad adquiridos. Ninguna reforma legal significativa es posible sin el apoyo de esos mismos intereses políticos y económicos. Los representantes de las empresas privadas y de los grupos de interés del sector privado a veces admiten oficiosamente que su oposición a todo impuesto o tasa a los derechos de agua no puede ser justificada por la teoría económica, pero no obstante defienden el *statu quo* porque les ha traído grandes beneficios materiales. La falta de participación en el debate de los ciudadanos y de las ONG que representan los intereses ambientales, de los agricultores campesinos o de los pueblos indígenas, ha contribuido a debilitar aún más la posibilidad de la reforma. En todos estos aspectos, los intentos de reformar el Código de Aguas han sido un microcosmos de la transición chilena a la democracia en general.

A pesar de que el actual punto muerto es en cierto sentido una victoria para los defensores del Código de Aguas, éste mantiene pendientes los temas más amplios respecto a la gestión integrada y sostenible de los recursos hídricos en Chile. La habilidad del marco institucional del Código de Aguas para resistir hasta ahora la reforma puede hacer políticamente imposible la puesta en marcha de reformas más ambiciosas en los ámbitos de caudales ecológicos, gestión de las cuencas hidrográficas y resolución de conflictos de aguas, por lo menos en un futuro inmediato. Tales reformas implicarían una crítica más fuerte al modelo actual.

Además, los obstáculos a la reforma hoy son incluso más altos, porque el equilibrio de las fuerzas políticas en Chile se ha inclinado hacia la derecha y la economía nacional se ha debilitado desde finales de los años noventa. Las elecciones parlamentarias celebradas en diciembre de 2001 aumentaron la representación de los partidos de derecha, tanto en la Cámara de Diputados como en el Senado. Las actuales crisis políticas y económicas en Argentina y otros países latinoamericanos han hecho que los políticos chilenos —tanto los de la Concertación gobernante como los de la oposición— estén más nerviosos respecto a atraer inversión extranjera y promover un crecimiento económico renovado.

En el contexto presente, por lo tanto, la gente comprometida con la mejora de las políticas hidrológicas y la gestión del agua en Chile tendrá que crear mayores capacidades de persuasión, de diálogo, de pragmatismo y de visión de largo plazo. Parte de la estrategia política debería ser tratar de aprovechar la variedad de perspectivas e intereses en la derecha política chilena: en particular las diferencias entre neoliberales y conservadores más tradicionales, y entre intereses sectoriales en los usos de las aguas (agricultura, minería, electricidad, desarrollo urbanístico) en diferentes regiones del país.

¿Cuáles deberían ser los próximos pasos en el proceso chileno de reforma? En mi opinión, los temas y prioridades clave deberían ser los siguientes:

- El gobierno debería estar dispuesto a abandonar las tasas por el no uso propuestas. No son un premio suficientemente grande como para seguir peleando por él, y no valen el sacrificio de objetivos de políticas hidrológicas más importantes, si éste es el precio político que hay que pagar. En términos políticos probablemente es demasiado tarde para que el gobierno retire esta propuesta de modo unilateral, salvo que fuese parte de un esfuerzo renovado para negociar con la oposición sobre impuestos a los derechos de agua.
- El gobierno debería unirse a la oposición al declarar que un sistema de impuestos a los derechos de agua es la meta a medio plazo, reconociendo al mismo tiempo las dificultades

prácticas para instaurar tal sistema en un futuro cercano. Por lo tanto, la declaración respecto a esta política también debería describir un plan de cinco o diez años para su aplicación, que incluya el fortalecimiento institucional y la capacitación *(capacity-building)*. Este plan se construiría a partir de los esfuerzos gubernamentales recientes que se han realizado para regularizar los títulos de dominio de los derechos de agua y para definir mejor los derechos de agua en todo el país, pero incluiría un programa más ambicioso y sistemático en el futuro. El plan también debería fortalecer los programas gubernamentales existentes a favor de los sistemas de riego de pequeña escala y campesinos. Los ingresos generados con los nuevos impuestos a los derechos de agua deberían destinarse a la gestión y protección de los recursos hídricos.

- Tanto el gobierno como la oposición deberían reconocer que la exigencia legal de *usar* los derechos de agua no es en sí el punto esencial, y que la ausencia de tal requerimiento en el Código de Aguas no es el problema crítico. El problema crítico es más bien que los derechos de propiedad de las aguas están definidos como mercancías estrictamente privadas en términos tan amplios e incondicionales que no existe modo efectivo de afirmar o de defender los derechos e intereses públicos, ya sean estos intereses económicos, sociales o ambientales. Esto es lo que me hace inclinarme a favor de los impuestos a los derechos de agua: no porque considere que son la mejor política en teoría, sino porque creo que son la manera más factible de afirmar los intereses públicos en el actual contexto chileno.

- Se debería redactar legislación que aclare las normas que gobiernan el ejercicio de los derechos no consuntivos frente a otros tipos de derechos de agua en la gestión de las cuencas hidrográficas, de presas y embalses. Esta legislación debería incluir una aclaración explícita respecto a la autoridad de las principales organizaciones de usuarios de aguas (las juntas de vigilancia) y de la DGA para hacer cumplir estas reglas.

- Deberían abandonarse los continuos intentos de diseñar organizaciones de cuencas nuevas, completas y público-privadas. En lugar de eso, el enfoque debería ser redactar y negociar acuerdos o convenios legales para cuencas específicas. Estos convenios podrían incluir alguna forma de nueva agencia de cuenca que ponga en práctica el acuerdo, pero solamente una vez que se hayan tomado las difíciles decisiones sobre el diseño institucional.
- La protección de caudales mínimos para fines ambientales debería ser considerada en el contexto de los dos elementos precedentes sobre gestión de cuencas hidrográficas. Asumo aquí que el gobierno chileno va a mantener su actual división de la autoridad reguladora entre la DGA (con jurisdicción fundamentalmente sobre el tema cuantitativo en relación con las aguas y de la gestión de los recursos hídricos) y la Comisión Nacional del Medio Ambiente (que gestiona la protección ambiental y algunos aspectos de la calidad de las aguas). Aun así, la protección de caudales ecológicos debe ser abordada en el contexto de la gestión de las cuencas hidrográficas.
- Se debería promover la participación más activa y más informada de las ONG ambientales y sociales en los debates sobre políticas públicas respecto de las leyes de aguas y la gestión de los recursos hídricos. La presencia de tales ONG es esencial para articular varios intereses públicos independientemente de las agencias y autoridades gubernamentales. Esto requerirá capacitación adicional del personal de las ONG y otras formas de apoyo financiero.
- El gobierno chileno y las universidades chilenas deberían emprender un programa sostenido de investigación aplicada y de análisis de políticas públicas sobre medidas institucionales alternativas para resolver los conflictos en torno a los recursos hídricos, incluyendo los temas ambientales.[7] El programa debería ser interdisciplinario y comparativo, e incluir tanto las alternativas institucionales existentes como las potenciales. Las medidas alternativas que tendrían que ser estudiadas deberían incluir, como mínimo,

1) discrecionalidad administrativa y capacidad reguladora aumentadas, junto con una mayor revisión y seguimiento por parte de algún tipo de comisión hídrica o de tribunales especializados; 2) capacitación y reforma del sistema judicial ordinario; y 3) algún tipo de arbitraje o de resolución alternativa de disputas. Este programa de investigación presumiblemente requerirá algún apoyo financiero de, y colaboración con, organizaciones internacionales.

Lograr suficiente consenso político sobre las reformas será obviamente muy difícil, y quizás imposible, en un futuro inmediato. El contexto político e institucional actual del país presenta obstáculos mayores, y está por ver cómo la gente en Chile va a superarlos y confrontar estos problemas.

Esta situación, sin embargo, con todas sus dificultades y limitaciones, debería darse a conocer ampliamente en otros países que están interesados en el sistema chileno de derechos de agua. La experiencia chilena subraya la naturaleza política de los instrumentos económicos, tanto en la decisión inicial de adoptarlos como en cualquier intento subsiguiente por modificarlos.

POLÍTICA HIDROLÓGICA INTERNACIONAL: LECCIONES PARA LAS REFORMAS

La experiencia de Chile muestra los problemas que pueden surgir al adoptar una ley de aguas de libre mercado. Su enfoque económico estrecho ha llevado a políticas públicas y medidas institucionales que no pueden estar a la altura de los desafíos de una gestión integrada y sostenible de los recursos hídricos. Para evitar tales resultados, las iniciativas internacionales para reformar las políticas hidrológicas deben cultivar un enfoque más amplio y más interdisciplinario de la economía del agua, con más análisis legales, institucionales y políticos de los mercados y de los instrumentos económicos. Mi esperanza es que este análisis de la experiencia chilena ayude a elevar el nivel del debate internacional sobre la GIRH, particularmente sobre sus aspectos económicos e institucionales.

El modelo chileno ha tenido dos principales beneficios económicos: en primer lugar, la seguridad legal de los derechos de propiedad privada ha fomentado la inversión privada en el uso del agua, tanto para el sector agrícola como para usos no agrícolas; y, en segundo lugar, la libertad para comprar y vender derechos de agua ha llevado a la reasignación de recursos hídricos a usos de mayor valor en ciertas áreas y en ciertas circunstancias. Éstos son beneficios importantes, a pesar de que los propios incentivos de mercado han sido sólo parcialmente funcionales en la práctica, y son el tipo de resultados que las políticas a favor del mercado esperan ofrecer. Muchos otros países mejorarían su uso y gestión del agua si pudieran lograr resultados semejantes.

Sin embargo, estos beneficios económicos están directamente relacionados con un marco legal, regulador y constitucional que no solamente ha demostrado ser rígido y resistente al cambio, sino también incapaz de gestionar adecuadamente los complejos problemas de la gestión de las cuencas hidrográficas, de la resolución de conflictos de aguas, y de la protección ambiental. Estos problemas más complejos, por supuesto, son precisamente los desafíos fundamentales de la gestión integrada de los recursos hídricos. Además, los campesinos y agricultores pobres en su gran mayoría no han recibido los beneficios económicos, lo que indica que la equidad social es otro punto débil del marco actual.

Las fortalezas del modelo chileno, en otras palabras, son también sus debilidades: las mismas características legales e institucionales que han llevado al éxito del modelo en algunas áreas han garantizado su fracaso en otras. La habilidad del marco institucional para resistir reformas es la fortaleza de la rigidez. Sus limitaciones reguladoras, sus señales de precios incompletas y su falta de equilibrio se han construido para durar. Incluso si miramos los beneficios económicos del modelo desde la perspectiva más positiva, para la nación como un todo estas deficiencias son un precio alto a pagar, sobre todo en el largo plazo.

Este análisis apunta a la forma poco precisa en la que a menudo ha sido descrito el modelo chileno en los círculos internacionales de políticas hidrológicas, particularmente por los economistas que han sido los más fervientes partidarios del modelo. La experiencia chilena se ha citado como un ejemplo de exitosas reformas de libre mercado, y a pesar de que los partidarios puede que reconozcan algunos problemas del modelo, los presentan como temas secundarios que no afectan a la evaluación general positiva. De ahí que la ausencia de instituciones efectivas para administrar las cuencas hidrográficas o para resolver los conflictos de aguas se mencione como un punto aparte, o se considere un tema separado que puede ser abordado posteriormente, o se perciba como aceptable a la luz de las supuestas ventajas del modelo. De acuerdo con este punto de vista, los problemas ya se han identificado y el gobierno chileno está en el proceso de resolverlos. De esta manera la atención permanece centrada en los mercados de aguas y en el comercio de derechos de agua, que son, supuestamente, los aspectos fuertes del modelo. El mensaje para otros países es que pueden adoptar el modelo de mercados de aguas chileno sin adoptar también sus debilidades institucionales más profundas en otras áreas de la gestión de los recursos hídricos.[8]

Tales evaluaciones son equivocadas y engañosas y descansan en un conocimiento insuficiente de las políticas y de las instituciones chilenas. Los defectos en el modelo chileno son estructurales: son partes integrales de las mismas medidas legales e institucionales que subyacen en el mercado de aguas. Estos defectos no son separables del resto del modelo. Al contrario, son las consecuencias institucionales necesarias de las reformas de libre mercado de los derechos de propiedad y de la regulación gubernamental. Los aspectos del modelo que privatizan los derechos de agua de un modo tan incondicional y que los definen como mercancías libremente comerciables están inextricablemente conectados a los aspectos que debilitan y restringen el marco regulador. Éste no es un asunto teórico: en Chile estas conexiones estructurales han quedado demostradas en la práctica a lo largo de los últimos veintitantos años, tanto por los dispares resultados empíricos del Código de Aguas (véase el capítulo IV) como por el largo e infructuoso proceso de intento de reforma del Código de Aguas (véase el capítulo III).

Otra manera de expresar este argumento es volver a la imagen de la GIRH y del desarrollo sostenible como un trípode cuyas tres patas son la eficiencia y el crecimiento económico, la equidad social y la sostenibilidad ambiental. El modelo chileno de gestión del agua tiene una fuerte pata económica y dos patas débiles en lo social y ambiental, lo que lo hace inestable como un todo. Las patas de lo social y ambiental no pueden ser fortalecidas sin debilitar la pata económica de manera que —por lo menos en Chile— son política y constitucionalmente difíciles. Además, incluso la pata económica es más débil de lo que parece, porque los mecanismos ineficaces para resolver los conflictos y para internalizar las externalidades también reducen la eficiencia y el crecimiento económico, especialmente en el largo plazo. Dado que el enfoque chileno de la gestión del agua como un bien económico pone toda la atención en el agua como un bien *privado* y una mercancía comerciable, es muy difícil reconocer o hacer cumplir los otros aspectos del agua como bien *público*.[9]

Para las personas en otros países y en organizaciones internacionales que están interesadas en las reformas de leyes y políticas públicas de aguas, esto ofrece lecciones moderadoras. La advertencia más obvia es que otros países no deberían copiar o seguir de cerca el modelo chileno de legislación de aguas, por lo menos sin una comprensión exhaustiva de sus debilidades tanto como de sus fortalezas. Tanto las deficiencias como la rigidez del marco institucional chileno se deberían explicar claramente a otros países interesados en el enfoque chileno. Los problemas para la GIRH no deberían ser presentados como secundarios, separados del mercado de aguas, o como fáciles de solucionar. El hecho de que el Banco Mundial y otros promotores no hayan dejado esto claro cuando abogan por el modelo chileno ha sido altamente irresponsable.

Muchos de los detalles del modelo chileno son exclusivos de Chile, y han sido conformados por el contexto político y económico local, en particular por la Constitución chilena. Es también probable que este documento tenga un peso e importancia inusual en Chile, lo que es igualado por pocas constituciones en otros países, dado que la Constitución chilena dicta las reglas básicas para las instituciones económicas, así como para el sistema político. Puede parecer posible crear una versión «mejorada» del Código de Aguas chileno manteniendo las mejores características del modelo y evitando sus defectos más graves. Si Chile fue demasiado lejos en la dirección del libre mercado y está ahora inmovilizado por su historia, política y constitución, ése es el problema de Chile; eso no impide que otros países aprendan de los errores de Chile.

Desde una perspectiva institucional, sin embargo, las posibilidades para tal versión mejorada en otros países son escasas. Aparte de las especificidades del caso chileno, cualquier país que trate de seguir el enfoque económico *laissez faire* de la legislación de aguas chilena va a tener que confrontar necesariamente problemas institucionales y políticos similares. ¿Cómo es posible crear un marco legal e institucional que provea fuertes garantías para la propiedad privada y la libertad económica, y un amplio ámbito para el libre comercio de derechos de agua y para la toma de decisiones privadas sobre el uso del agua, sin restringir severamente la regulación gubernamental y la reforma legislativa? Si un país no quiere otorgar al poder judicial poderes tan amplios para controlar las acciones de las agencias gubernamentales, ¿de qué otro modo puede evitarse que estas agencias interfieran en los mercados de agua y en los derechos de propiedad? Si los derechos económicos privados son tan fuertes y la regulación pública tan débil, ¿a través de qué mecanismos institucionales además de los tribunales pueden resolverse los conflictos de forma eficaz? ¿Cuánto espacio para una protección ambiental puede existir en tal marco, y cómo puede el nivel de esta protección aumentar con el tiempo?

Si otros países quieren seguir el modelo chileno de la economía del agua, van a tener que adoptar un marco legal e institucional que sea funcionalmente equivalente al de Chile. Si, en vez de esto, un país escoge establecer un marco regulador más fuerte o pone más condiciones a los derechos privados, este país, por definición, ya no está siguiendo el enfoque económico chileno. De aquí se desprende que una de las lecciones más profundas del modelo chileno de gestión del agua es mostrar cómo diferentes perspectivas económicas tienen diferentes consecuencias para el diseño institucional. La experiencia chilena muestra los duraderos problemas que surgen cuando una perspectiva económica estrecha se combina con el poder político para diseñar instituciones legales a su propia imagen.

En los debates internacionales sobre la gestión integrada de los recursos hídricos, el principio según el cual el agua debería ser reconocida como un bien económico no se debería concebir como un componente separado o independiente de las reformas legales y de políticas públicas. En particular, los países y gobiernos no deberían cometer el error de pensar que pueden llevar a cabo reformas en dos etapas, primero adoptando un enfoque de libre mercado de la economía del agua como un sencillo paso inicial, para después centrar su atención en los problemas pendientes de la GIRH y de la gobernanza del agua. A esas alturas sus manos ya van a estar atadas por una definición de los derechos de propiedad que tiene consecuencias políticas e institucionales de gran trascendencia. Por lo contrario, los reformistas deberían hacer mayor hincapié, y pronto, en los mecanismos para resolver conflictos, y reflexionar con cuidado sobre cómo definir y hacer cumplir los derechos de propiedad de algo tan complicado como es el agua.

Pero no quiero crear confusión. Estoy alegando en contra de los mercados «libres» y la economía estrecha, no en contra de todo uso de instrumentos y de análisis de la gestión del agua basados en el mercado. La meta de un enfoque más amplio y más interdisciplinario de la economía del agua es construir sobre principios neoclásicos convencionales, y no rechazarlos. Podemos obtener los mayores beneficios de los mercados reconociendo sus limitaciones y no pidiéndoles gestionar problemas que están fuera de su alcance. Es por esto por lo que, en mi opinión, necesitamos revivir enfoques más antiguos de la economía institucional, enfoques que están arraigados en análisis cualitativos e históricos y que se alimentan de la política, del derecho y de otras ciencias sociales para comprender los temas «económicos».[10]

La combinación de tal economía institucional con el estudio del derecho en su contexto social, o el «derecho en acción», es a lo que me refiero como derecho y economía comparados. Este enfoque, resumido en el capítulo I, es inherentemente cualitativo e interdisciplinario simplemente porque es comparativo, y he tratado de aplicarlo a lo largo del libro. Este enfoque es especialmente importante en países en desarrollo, donde los contextos institucionales y sociales son significativamente diferentes de los de los países desarrollados donde la mayor parte de la teoría económica se ha originado y donde continúa siendo conformada. El derecho y la economía comparados se pueden aplicar a muchos más ámbitos que la política hidrológica, por supuesto; es un enfoque que mejoraría la discusión sobre muchos otros temas críticos del desarrollo internacional. Un ejemplo es el reciente debate sobre la «segunda generación» de reformas institucionales necesarias para corregir los problemas causados, o no resueltos, por la primera generación de reformas económicas neoliberales promovidas por el Consenso de Washington.[11]

La actual crisis mundial del agua es impelida por la escasez y el conflicto, dos problemas que están cada vez más íntimamente interrelacionados. A pesar de que los principios económicos pueden ser poderosas herramientas para afrontar la *escasez* de agua, las instituciones legales y políticas son la clave para resolver los *conflictos* por el agua. La experiencia chilena confirma la necesidad de una perspectiva más interdisciplinaria respecto al derecho y la economía en el diseño de las reformas de políticas públicas.

Notas

Introducción. El modelo chileno de gestión del agua alcanza su mayoría de edad

1. Véanse, por ejemplo, Birdsall et al., 1998; Graham y Naím, 1998; Banco Interamericano de Desarrollo, 1999. Para ejemplos de la atención prestada por el Banco Mundial a las reformas judiciales en este contexto, véanse Dakolias, 1996 y Rowat et al., 1995.

I. El contexto internacional: la crisis del agua y los debates sobre políticas hidrológicas

1. Por ejemplo, el Consejo Mundial del Agua se refiere a «una crisis crónica y perniciosa en los recursos hídricos del mundo» (Cosgrove y Rijsberman, 2000: prefacio); la Global Water Partnership se refiere a «una crisis inminente del agua» (Global Water Partnership, 2000a: 11); y el título del libro editado por Peter Gleick, *Agua en crisis,* habla por sí mismo (Gleick, 1997).

2. Global Water Partnership, 2000b: 22. Como se comenta más abajo, la Partnership es una organización internacional dedicada a promover la gestión integrada de los recursos hídricos en el mundo.

3. Para ejemplos representativos del debate internacional contemporáneo sobre la gestión de los recursos hídricos, véanse Dourojeanni, 1994; FAO et al., 1995; García, 1998; Gleick, 1998; Lord e Israel, 1996; Banco Mundial, 1993; y las citas en las dos notas siguientes. Estas publicaciones varían en algunos de sus principios y recomendaciones, pero todas comparten los mismos rasgos generales de buscar combinar los aspectos sociales, económicos, ambientales y de otra índole en el uso y gestión de las aguas.

4. Declaración de Dublín (Conferencia Internacional sobre el Agua y el Medio Ambiente, 1992: 4).

5. Véanse Global Water Partnership, 1998, 2000a, 2000b; Solanes, 1998; Solanes y González, 1999. La sede de la Global Water Partnership está en Estocolmo y tiene oficinas regionales en todo el mundo.

6. Global Water Partnership, 2000a: 23.

7. Ambas definiciones se citan en Rogers y Hall, 2002: 4 (una publicación de la Global Water Partnership).

8. Declaración de Dublín (Conferencia Internacional sobre el Agua y el Medio Ambiente, 1992: 4).

9. Por ejemplo, la «visión» del Consejo Mundial del Agua, preparada para el foro en La Haya, hablaba de la necesidad vital de «ponerle precios de sus costes totales a los servicios de agua» *(pricing of water services at full cost)* (Cosgrove y Rijsberman, 2000: resumen ejecutivo). El informe final de ese foro nombraba cuatro temas sobre los cuales había desacuerdo significativo: «privatización, cobrar los precios de los costes totales a los servicios de agua *[charging the full-cost price for water services],* derechos al acceso y participación» (World Commission on Water for the 21st Century, 2000: 16). Para ejemplos de las críticas de organizaciones no gubernamentales a la privatización, véanse Barlow, 2000; Gleick et al., 2002; Public Services International, 2000.

10. Cabe aclarar que no me refiero a la «nueva» economía institucional ni al enfoque de *rational choice* de la economía política, ya que ambas perspectivas son esencialmente aplicaciones de la teoría y metodología económica neoclásica a las instituciones y a la política. Asimismo, el campo que se suele llamar «derecho y economía» *(law and economics),* un término que implica la combinación de las dos disciplinas, debería llamarse más precisamente el análisis económico neoclásico del derecho. A pesar de que estos enfoques pueden ofrecer percepciones útiles, reflejan perspectivas estrechas más que amplias sobre la economía. Véase también la nota siguiente.

11. Este libro no es el lugar adecuado para revisar en detalle la vasta literatura sobre la economía institucional y sobre derecho y economía. Algunos ejemplos se discutirán más adelante en este capítulo y los capítulos siguientes. Algunas referencias útiles, desde varias perspectivas, son Bardhan, 1989; Barzel, 1989; Bromley, 1989; Coase, 1988; Cole y Grossman, 2002; Commons, 1924, 1934; Field, 1981; Hodgson, 1988; Libecap, 1989; Mercuro y Medema, 1997; North, 1981; Rutherford, 2001; Williamson, 1985.

12. Banco Mundial, 1993. Para un estudio cuidadoso y completo del Banco Mundial con ocasión de su cincuenta aniversario —más allá de los temas específicos de los recursos hídricos—, véase Kapur et al., 1997.

13. Rosegrant y Binswanger, 1994: 1619, 1623.

14. Easter et al., 1998: 8, 280. A pesar de que este libro no es una publicación del Banco Mundial, sus tres editores son todos economistas que o trabajan en el Banco o están estrechamente ligados al mismo.

15. Por ejemplo, algunas de estas estrategias mitigantes son las siguientes: «Requerir revisión y aprobación de transacciones por una agencia pública [...] establecer un fondo para compensar a terceros perjudicados por las transacciones, financiado por impuestos sobre las transacciones [...] modificar derechos de agua hacia abajo [...] permitir litigación a quienes no son titulares de derechos de agua [...] cobrar impuestos sobre o prohibir transferencias desde aguas arriba hacia aguas abajo [...] fijar caudales mínimos ecológicos para mantener ecosistemas acuáticos [...] cobrar impuestos sobre derechos de agua no usados [...] ayudar a pequeños titulares de derechos de agua con protección e información legal gratuitas [...] definir dos tipos de derechos con uno senior al otro [...]» (ibídem: 278-279).

16. Ibídem: 282.

17. Para ejemplos excelentes del análisis sociojurídico comparado de derechos de agua y resolución de conflictos, véanse Benda-Beckmann et al., 1997; Bruns y Meinzen-Dick, 2000. Sobre la tradición del derecho y la sociedad en general, véanse las revistas *Law and Society Review,* publicada por la Law and Society Association, y *Law and History Review,* publicada por la American Society for Legal History.

18. En los trabajos analizados aquí, Briscoe advierte de que sus opiniones no deberían tomarse como los planteamientos oficiales del Banco Mundial. No obstante, veremos que otras publicaciones relacionadas con el Banco presentan posiciones muy semejantes, si no idénticas, a las de Briscoe.

19. Briscoe, 1996a, 1997.

20. Briscoe, 1996a: 9-10.

21. Ibídem: 2, 17.

22. Briscoe, 1997: 6.

23. Briscoe, 1996a: 22.

24. Rogers et al., 1998. Este trabajo fue escrito en 1996 y fue publicado por la Global Water Partnership dos años después. Sobre la GWP, véanse Global Water Partnership, 1998, 2000a, 2000b; Solanes, 1998; Solanes y González, 1999.

25. Rogers et al., 1998: 6-10. Véase especialmente su figura 1 en la página 7.

26. Ibídem: 10-14. Véase especialmente su figura 2 en la página 13.

27. Ibídem: 14.

28. Ibídem: 14, 17.

29. Perry et al., 1997: 1.

30. Ibídem: 16-17. En términos de las implicaciones específicas para la política pública, en el campo del desarrollo internacional del riego su análisis les lleva a preferir los subsidios gubernamentales en lugar de los precios de mercado, con el propósito de mejorar la equidad social.

31. McNeill, 1998: 253-254, 256. Como Briscoe y Rogers et al. (citados arriba), McNeill describe el valor del agua como los «costes monetarios» *(money costs)* de suministrar agua a usuarios específicos, incluyendo la operación y el mantenimiento (los que Briscoe llama los costes de uso y los que Rogers et al. llaman los costes totales de abastecimiento), más el coste de oportunidad; es decir, el valor del agua en usos alternativos. Señala que los costes de oportunidad son a menudo muy difíciles de medir en términos monetarios.

32. Ibídem: 258-260.

33. Brown, 1997: 3-4 (cursiva en el original). Brown ha estudiado los temas de perspectivas diferentes sobre el valor de los recursos hídricos durante muchos años; véanse, por ejemplo, Brown et al., 1982; Brown e Ingram, 1987.

34. Bromley, 1982. Los cuatro conceptos teóricos examinados en este trabajo son «la optimalidad de Pareto, la noción de externalidades Pareto-irrelevantes, las decisiones sobre asignación intertemporal de recursos por parte de sus propietarios, y la base científica de las decisiones acerca de los acuerdos institucionales específicos» (834). En libros subsiguientes Bromley desarrolla sus argumentos con mucho más detalle; véanse Bromley 1989, 1991.

35. Como explica en otro trabajo (Bromley, 1989: 4), «Los cálculos de eficiencia se basan en la estructura actual de medidas institucionales que determinan cuál es un coste, y para quién [...]. Identificar la opción *eficiente* de política pública frente a la cual deben compararse otras opciones es distorsionar el debate. *No existe una única opción eficiente de política,* sino una opción eficiente de política para todas las medidas institucionales presumidas y posibles. Seleccionar un resultado eficiente es también seleccionar una estructura determinada de medidas institucionales y su distribución de ingreso correspondiente. Lo que importa no es la eficiencia, sino la *eficiencia para quién*?» (cursiva en el original).

36. Bromley, 1982: 842-843. La importancia que concede al derecho para determinar el valor se basa en el trabajo de John Commons, un importante economista institucional norteamericano de la primera parte del siglo XX; véanse Commons 1924, 1934. Para otras aplicaciones de la economía institucional a recursos hídricos en los Estados Unidos, incluyendo discusiones de los contrastes con la economía neoclásica, véanse Ciriacy-Wantrup, 1967; Livingston, 1993a, 1993b; Miller et al., 1996, 1997; Wandschneider, 1986.

37. Aguilera, 1998. Para las semejanzas con los Estados Unidos, véase la nota 54 más adelante y el texto acompañante.

38. Ibídem: 19.

39. En su último libro, que forma parte de esta misma colección de publicaciones que pretende promover una «nueva cultura del agua» en España, Agui-

lera aplica un enfoque de economía institucional al estudio de los mercados de aguas en las islas Canarias de España; véase Aguilera, 2002. El trabajo innovador y sofisticado de Aguilera es representativo de una ola reciente de publicaciones importantes de economistas institucionales y ecológicos sobre los temas del agua en España; véanse, por ejemplo, Aguilera et al., 2000; Arrojo, 1995; Arrojo y Naredo, 1997; y otros trabajos publicados del mismo congreso en que aparece Aguilera, 1998.

40. La economía ecológica es un campo diverso y ecléctico cuya crítica básica es que el marco neoclásico desconoce aspectos fundamentales de las ciencias físicas y ecológicas, sobre todo los flujos de energía y de materiales en los ecosistemas. Por lo tanto, los análisis económicos convencionales tienden a tratar los sistemas económicos como si estuvieran mayormente aislados del medio ambiente físico y de sus dinámicas y limitaciones. En este libro no analizo ni aplico el marco específico de la economía ecológica, aunque mi propia formación en geografía y geología significa que comparto la perspectiva básica. Para discusiones más detalladas de la economía ecológica, véanse, por ejemplo, Costanza et al., 1996; Daly y Townsend, 1993; Prugh et al., 1999. Para una aplicación al derecho y política de aguas en particular, véase Young, 1997.

41. Debido a que el Código de Aguas chileno fue redactado más de una década antes de los congresos internacionales de aguas y de los debates internacionales de políticas públicas resumidos anteriormente, la ley chilena en sí evidentemente fue conformada por factores diferentes de los Principios de Dublín, como veremos en el capítulo II. No obstante, toda la discusión internacional del modelo chileno ha tenido lugar a partir de 1990, en el contexto de esos debates internacionales recientes. Además, dentro de Chile la mayor parte de la discusión de la legislación y política de aguas a partir de 1990 se ha referido explícitamente a los debates internacionales.

42. Véanse Rosegrant y Binswanger, 1994; Banco Mundial, 1994; Hearne y Easter, 1995; Ríos y Quiroz, 1995; Simpson y Ringskog, 1997; Easter et al., 1998. Aun cuando el libro de 1998 no es una publicación del Banco Mundial, sus tres editores son todos economistas que trabajan en el Banco o están estrechamente ligados al mismo.

43. Véanse Dourojeanni y Jouravlev, 1999; Solanes, 1996. Véase FAO, 1999 para una valoración algo menos crítica.

44. Véase Trawick, 2003.

45. Todos los países nombrados son ejemplos sobre los cuales yo tengo algún conocimiento personal, basado en mi trabajo como consultor internacional, mi participación en reuniones y congresos internacionales y comunicaciones personales con expertos de aguas en los países involucrados. Casi con toda seguridad hay otros ejemplos también.

46. Briscoe, 1996a: 21-22; Briscoe, 1997: passim; Briscoe et al., 1998. El último trabajo, a pesar de que tiene como coautores a dos funcionarios del gobierno chileno, está basado en Briscoe, 1996b.

47. Briscoe, 1996a: 21 (cursiva mía). El único ejemplo es el río Limarí, que comento en el capítulo IV.

48. Ibídem: 20. Esta distinción es reveladora en cuanto a las limitaciones del modelo chileno para la gestión integrada de los recursos hídricos, ya que es un principio básico de la GIRH que la cantidad del agua y la calidad del agua están íntimamente relacionadas y no deberían ser abordadas por marcos institucionales diferentes. Sin embargo, Briscoe no menciona este punto.

49. Briscoe et al., 1998: 9 (cursiva mía).

50. Rogers y Hall, 2002: 25-26 (cursiva mía). Su fuente para esta evaluación es Briscoe et al., 1998, como se indica en Rogers, 2002: 47-50, 54.

51. Véanse, por ejemplo, Dubash, 2002; Meinzen-Dick, 1996; Shah, 1993.

52. Véanse Challen, 2001; Clark, 1999; Young, 1997; y varios trabajos en *Water International,* 24 (4), 1999.

53. Véanse Aguilera, 1998, 2002; Aguilera et al., 2000; Arrojo, 1995; Arrojo y Naredo, 1997; Moral y Saurí, 1999; Embid, 1996; y el número especial de *Water International,* 28 (3), 2003.

54. La literatura sobre mercados de aguas en los Estados Unidos es muy abundante. Para resúmenes panorámicos y ejemplos representativos, véanse Bates et al., 1993; Bauer, 1996; Brown et al., 1982; Fort, 1999; Frederick, 1986; Getches, 1996; Hildreth, 1999; Howe, 2000; Saliba y Bush, 1987; Shupe et al., 1989; Tarlock, 1991; Willey, 1992.

55. Por ejemplo, Wescoat, 2002.

II. El modelo de libre mercado: el Código de Aguas de Chile de 1981

1. En este libro no expongo la larga historia del derecho de aguas chileno antes de 1951, cuando se dictó el primer Código de Aguas. Para más información sobre la época de la colonia española, del siglo XIX y de la primera parte del siglo XX, véase Bauer, 1998b: 36-38/2002: 63-65, y referencias allí.

2. El resumen que sigue está tomado de Bauer, 1998b: 33-36/2002: 57-62, donde se dan más detalles y referencias.

3. El Código de Aguas se aplica sólo a las aguas continentales, no a las aguas saladas del mar o de zonas costeras. El Código Civil también definió ciertas categorías de aguas como propiedad privada, principalmente ríos pequeños y cuerpos de agua contenidos dentro del mismo terreno (con un solo

dueño), y, lo que es más importante, las aguas que fluyen en cauces «artificiales» (es decir, canales). Esta última norma tenía como objetivo el incentivar el desarrollo privado del riego a través del reconocimiento de los derechos a las aguas una vez que se hubieran desviado de los ríos. Véase Bauer, 1998b: 47/2002: 64, notas 16, 17.

4. El Código de 1981 reconoce también todos los derechos de agua otorgados o adquiridos bajo legislaciones anteriores, y sus Artículos Transitorios establecen procedimientos legales para «regularizar» el estado confuso e incierto de muchos títulos existentes de derechos de agua. En teoría, todos los derechos de agua deben medirse ahora en términos de volumen por unidad de tiempo, por ejemplo en litros por segundo, pero en la práctica muchos derechos más antiguos se expresan como proporciones de los caudales disponibles, o por otras medidas.

5. Solanes, 1996.

6. La distinción legal entre el dominio público de las aguas y el dominio privado de los derechos a utilizarlas ha sido un tema controvertido y confuso por mucho tiempo en Chile. Muchos abogados de aguas chilenos, incluidos quienes están a favor de los mercados, han considerado que el Código de Aguas actual es legalmente incoherente porque privatiza un recurso que al mismo tiempo define como inenajenablemente público. Otros abogados y muchos economistas defienden el enfoque del código como la única manera factible de adaptar las características peculiares de un recurso fluido y móvil a la lógica y requisitos de un mercado. Véase Bauer, 1998b: 46/2002: 60-61, notas 6, 7.

7. El Código de Aguas otorga a la DGA la autoridad de dictar la redistribución de derechos de agua durante emergencias de sequía oficialmente declaradas, pero aun así el gobierno debe indemnizar a los usuarios de aguas que resulten perjudicados (art. 314). Esto no ha sucedido nunca, de acuerdo con mi conocimiento.

8. Este teorema lleva el nombre de Ronald Coase, premio Nobel de la Universidad de Chicago, y es uno de las pilares del campo de derecho y la economía. Véanse las obras citadas en el capítulo I, nota 11.

9. Para un análisis más detallado de los derechos de agua no consuntivos y de los problemas legales e institucionales asociados, véase Bauer, 1998b: 79-118/2002: 117-170.

10. Algunos de los rasgos políticos más autoritarios de la Constitución se eliminaron o modificaron en 1989 en un paquete de reformas negociadas entre el gobierno militar, el partido político conservador Renovación Nacional y la coalición de gobierno entrante, la Concertación. No obstante, el marco básico seguía intacto y en particular los aspectos económicos y reguladores no se tocaron. Véase Bauer, 1998b: 11-12/2002: 29-31 y notas asociadas.

11. Para exposiciones detalladas de la historia política chilena antes y durante el gobierno militar, véanse Angell, 1993; Constable y Valenzuela, 1991; Drake y Jaksic, 1991; Loveman, 1988; Valenzuela, 1989, 1991. Un resumen muy breve de la historia económica y política reciente en Chile se puede encontrar en Bauer, 1998b: 3-5/2002: 19-22.

12. Para más discusión de la naturaleza y significado de la Constitución de 1980 y de las potestades ampliadas del poder judicial, véanse Bauer, 1998b: 11-31/2002: 29-56, y Bauer, 1998c y referencias allí. Para relatos detallados de los procesos políticos, legislativos y de política pública internos durante el gobierno militar, véanse Barros, 2002; Cavallo et al., 1989; Fontaine, 1988; Valenzuela, 1991.

13. Sobre el contexto político general, véanse las obras citadas en las dos notas anteriores. La sección de este capítulo sobre la «historia legislativa» del Código de Aguas de 1981 se toma de Bauer, 1998b: 40-45/2002: 70-80, que tiene referencias más completas.

14. Ley 9909, publicada en el *Diario Oficial* el 28 de mayo de 1951. Para más detalles y referencias, véase Bauer, 1998b: 38/2002: 65-67.

15. Véase, por ejemplo, Sax et al., 1991.

16. De hecho, el actual término legal para los derechos de agua, «derechos de aprovechamiento», con su condicionalidad implícita —¿qué pasa si el uso no se aprovecha?—, data del código de 1951.

17. Para más detalles y referencias, véase Bauer, 1998b: 39-40/2002: 67-70.

18. Se ha escrito mucho sobre la Reforma Agraria en Chile. Buenas referencias son Garrido et al., 1990; Jarvis, 1985, 1988.

19. La Ley de Reforma Agraria fue Ley 16640, aprobada en 1967. El nuevo Código de Aguas entró en vigencia al mismo tiempo pero se publicó de forma separada en 1969 como Decreto con Fuerza de Ley 162. Me referiré a él como el Código de Aguas de 1967 para subrayar su estatus legal y sus vínculos con la Reforma Agraria. Para más referencias sobre este código, véase Bauer, 1998b: 47/2002: 67, nota 24.

20. Para algunos puntos legales interesantes sobre la indemnización nominal que se ofrecía, véase Bauer, 1998b: 48/2002: 68, notas 25, 26.

21. Para relatos históricos de este período, véanse Angell, 1993; Loveman, 1988; Valenzuela, 1989.

22. Véanse Garrido et al., 1990; Jarvis, 1985, 1988.

23. Véase Bauer, 1998b: 11-25/2002: 29-56 y referencias allí. El término en español es *los Chicago boys*.

24. Sobre esta comisión, véase Bauer, 1998b: 12-19/2002: 31-44 y referencias allí. Las sesiones de la comisión sobre derechos de agua fueron republicadas en *Revista de Derecho de Minas y Aguas,* vol. 1 (1990): 227-259.

25. Constitución (1980), artículo 19, número 24.

26. Las Actas Constitucionales de 1976 eran enmiendas interinas de la Constitución de 1925, que fueron dictadas por la junta mientras la nueva constitución estaba todavía en preparación. Véase Bauer, 1998b: 26/2002: 32-33, nota 9. La junta tenía cuatro miembros: los comandantes de las tres fuerzas armadas chilenas (el Ejército, la Armada y la Fuerza Aérea) además de la policía nacional (Carabineros).

27. Véase el Acta 280, 3 de septiembre de 1976, *Actas de Sesiones de la Honorable Junta de Gobierno* (inédita).

28. Véase Bauer, 1998b: 11-25/2002: 29-56 y referencias allí.

29. Este Decreto Ley se publicó en el *Diario Oficial* el 23 de abril de 1979. Para referencias adicionales, véase Bauer, 1998b: 48/2002: 73, nota 36.

30. Sobre el papel histórico del gobierno chileno en el desarrollo de riego, véase Bauer, 1998b: 42 y 46, nota 10/2002: 73-74 y 61, nota 10.

31. Para los argumentos económicos a favor de la nueva ley, véanse referencias en Bauer, 1998b: 49/2002: 74-75, notas 39, 40.

32. Compárese el borrador de proyecto de ley con la versión final, en *Decretos Leyes Dictadas por la Honorable Junta de Gobierno: Transcripción y Antecedentes,* Tomo 167, Folio 1-356, en la Biblioteca del Congreso Nacional.

33. Véase el Acta 364, 7 de febrero de 1979, *Actas de Sesiones de la Honorable Junta de Gobierno* (inédita).

34. Ibídem.

35. Compárese el borrador de proyecto de ley con la versión final, en *Decretos Leyes Dictadas por la Honorable Junta de Gobierno: Transcripción y Antecedentes,* Tomo 167, Folio 1-356, en la Biblioteca del Congreso Nacional.

36. Bauer, 1998b: 49/2002: 76-77, nota 44.

37. «Nuevo Código de Aguas impulsará la inversión», entrevista con Rule Bismarck, *El Mercurio,* 31 de octubre de 1981, C3.

38. El Código de Aguas es Decreto con Fuerza de Ley 1122, la ley de riego es Decreto con Fuerza de Ley 1123, y ambos se publicaron el mismo día en el *Diario Oficial.*

39. Ley 18450, todavía vigente. Véase Bauer, 1998b: 76/2002: 106, nota 42 y texto asociado.

40. Véanse Ellenberg, 1980; Figueroa, 1989; Instituto de Ingenieros, 1993.

III. ¿Reformar la reforma? Debates sobre políticas durante la democracia chilena

1. Sobre este período, véanse, por ejemplo, Angell, 1993; Constable y Valenzuela, 1991; Drake y Jaksic, 1991.

2. Un dicho chileno.

3. Para una discusión más detallada del marco político y constitucional, véase Bauer, 1998b: 3-5, 11-25/2002: 19-22, 29-56, y notas acompañantes.

4. Además de los documentos citados, mi análisis en este capítulo está basado en numerosas entrevistas en Chile con funcionarios gubernamentales, expertos en aguas y personas interesadas *(stakeholders)* desde 1992 hasta 2003. Muchas de estas entrevistas eran, al menos en parte, confidenciales.

5. Manríquez, 1993; entrevista con Gustavo Manríquez, 5 de febrero de 1992, Santiago.

6. Dirección General de Aguas, 1991a: 2, y 1991b: 267.

7. Véase el capítulo II.

8. *Proyecto de Ley que modifica el Código de Aguas, Boletín* 876-09, 1 (2 de diciembre de 1992).

9. Ibídem: 3-8.

10. Véase el capítulo II. Tal como mencioné antes, la norma de «úselo o piérdalo» es equivalente a la doctrina de uso beneficioso en el derecho de aguas de los Estados Unidos.

11. Constitución de 1980, artículo 19, número 24. Véase el capítulo II para una exposición más detallada del estatus constitucional de los derechos de agua.

12. Para un argumento teórico muy semejante sobre los derechos de agua en los Estados Unidos, presentado por un economista, véase Barzel, 1989: 89-91.

13. Ejemplos importantes de la oposición a la propuesta del gobierno son Donoso, 1994; Endesa, 1993; Figueroa, 1993a, 1993b; Instituto de Ingenieros, 1993; Instituto Libertad y Desarrollo, 1993a, 1993b; Sociedad Nacional de Agricultura, 1993; «Retroceso en Régimen de Aguas», editorial en *El Mercurio,* 19 de febrero de 1993, A3; y otras citas en Bauer, 1998b: 77/2002: 112, nota 57.

14. *Proyecto de Ley que modifica el Código de Aguas, Boletín* 876-09, 1 (2 de diciembre de 1992).

15. Véanse, por ejemplo, Endesa, 1993; Instituto de Ingenieros, 1993; Instituto Libertad y Desarrollo, 1993a; Sociedad Nacional de Agricultura, 1993.

16. Para argumentos a favor de los impuestos a derechos de agua en esta primera ronda del debate sobre la reforma del Código de Aguas, véanse Confederación de Canalistas de Chile, 1993a; Figueroa, 1993a, 1993b; Instituto Libertad y Desarrollo, 1993b; Urquidi, 1994; «Retroceso en Régimen de Aguas», editorial en *El Mercurio,* 19 de febrero de 1993, A3.

17. Para argumentos a favor de las tasas a derechos de agua en esta ronda del debate, véanse Endesa, 1993; Instituto de Ingenieros, 1993; Sociedad Nacional de Agricultura, 1993. Sobre el derecho minero chileno, véase Vergara, 1992.

18. Dirección General de Aguas, 1991b; Muñoz, 1991. Voy a utilizar el término «tasa por el no uso» en vez de «tasa» porque algunas personas dicen «tasa» queriendo decir «cobro» o «tarifa», lo que puede significar para el uso o para el no uso.

19. Gustavo Manríquez, Sesión 2, 10 de marzo de 1993, *Comisión Encargada del Régimen Jurídico de las Aguas,* Cámara de Diputados, 19.

20. Mensaje presidencial 79-327 al presidente de la Cámara de Diputados, *Formula Indicaciones al Proyecto de Ley que modifica el Código de Aguas,* 30 de septiembre de 1993.

21. Lagos, 1994: 125. También entrevistas con el jefe de la DGA, Humberto Peña, 20 de octubre, 7 de diciembre, y 18 de diciembre de 1995.

22. Anguita, 1995; Dirección de Riego, *Indicación Sustitutiva al Proyecto de Modificación del Código de Aguas,* memorándum a la DGA, mayo de 1995. También entrevista con Pablo Anguita, 18 de diciembre de 1995.

23. Ley 19300, *Ley de Bases del Medio Ambiente.*

24. Para un análisis legal y político de la ley de 1994, de la Comisión Nacional del Medio Ambiente y del marco institucional en general, véanse Asenjo, 1990; García, 1999; Ruthenberg et al., 2001; Silva, 1994, 1997.

25. Mensaje presidencial 005-333 al presidente de la Cámara de Diputados, *Formula Indicación al Proyecto de Modificación del Código de Aguas,* 4 de julio de 1996.

26. Dirección General de Aguas, 1999. Gran parte de la misma materia se puede encontrar en informes y presentaciones anteriores del jefe de la DGA, Humberto Peña; véanse Peña, 1997a, 1997b. Comento estos documentos también en el capítulo IV.

27. Véanse, por ejemplo, Vergara, 1997a, un informe sobre cómo diseñar un registro nacional de títulos de derechos de agua, y Donoso, 2000, un análisis sobre si establecer un sistema de cobrar tarifas al uso de agua. Tanto Vergara como Donoso son conocidos expertos chilenos sobre el derecho y la economía de aguas, profesores de la Universidad Católica y partidarios del Código de Aguas de 1981.

28. Mensaje presidencial 005-333 al presidente de la Cámara de Diputados, *Formula Indicación al Proyecto de Modificación del Código de Aguas,* 4 de julio de 1996. Para una explicación adicional de la posición del gobierno, véanse Dirección General de Aguas, 1999; Peña, 1997a, 1997b.

29. Miranda, 1995: D10.

30. Dirección General de Aguas, 1999: 5. Alejandro Vergara, el experto académico en derecho de aguas más importante de Chile, ha comentado también el cambio de punto de vista del gobierno acerca de los beneficios de los mercados de aguas, aunque a mi juicio exagera el grado de consenso promercado y subestima las realidades crudas del poder político, como planteo

más adelante. Véase Vergara, 2002, un artículo presentado a las IV Jornadas Chilenas de Derecho de Aguas, en 2001.

31. Resolución 480, *Comisión Resolutiva Antimonopolios,* 7 de enero de 1997, después publicada en *Revista de Derecho de Aguas* 7: 285-301.

32. Estos temas son parte de mis propias investigaciones actuales, que presentaré en publicaciones futuras.

33. Véanse Bauer, 1998a y 1998b: 79-118/2002: 117-170, para un análisis extenso de los temas relativos a la gestión de los recursos hídricos que surgen de los derechos no consuntivos de aguas. Un resumen breve se incluye en el capítulo IV.

34. Mensaje presidencial 005-333 al presidente de la Cámara de Diputados, *Formula Indicación al Proyecto de Modificación del Código de Aguas,* 4 de julio de 1996, 1-2.

35. Para argumentos a favor de las tasas por no uso a derechos de agua en la ronda anterior del debate, véanse Endesa, 1993; Instituto de Ingenieros, 1993; Sociedad Nacional de Agricultura 1993.

36. «Las Aguas de la Discordia», *El Mercurio,* 8 de septiembre de 1996, D1, D12.

37. Figueroa, 1997a: A2. Este abogado había sido un oponente destacado a la primera ronda de reformas propuestas al comienzo de los noventa; véanse Figueroa, 1993a, 1993b.

38. Hoschild, 2000: 172 (cursiva mía). Este trabajo fue presentado a las II Jornadas Chilenas de Derecho de Aguas, en 1999.

39. Véanse Domper, 1996; Echeverría, 1999; Figueroa, 1997b; Peralta, 2000; Romero, 1996; «Derechos de Aguas», editorial en *El Mercurio,* 6 de octubre de 1996, A3.

40. Chile tiene tanto un Tribunal Constitucional como una Corte Suprema. La Corte Suprema puede fallar asuntos constitucionales que son presentados en casos específicos, pero sólo el Tribunal Constitucional tiene jurisdicción ex ante sobre temas constitucionales presentados por legislación propuesta. Véase, por ejemplo, Cea, 1998.

41. El reclamo de los Diputados se refería a una disposición de la Constitución de 1980 que garantizaba el derecho «para *adquirir el dominio de toda clase de bienes,* excepto aquellos que la naturaleza ha hecho comunes a todos los hombres o que deban pertenecer a la Nación toda y la ley lo declare así» (cursiva mía). Constitución de 1980, artículo 19, número 23. Esta disposición se aplicaría a los derechos de agua pero no a las aguas mismas, de acuerdo con la distinción legal comentada en el capítulo II.

42. Tribunal Constitucional, *Requerimiento de Inconstitucionalidad del Proyecto de Ley Modificatoria del Código de Aguas,* 13 de octubre de 1997, después publicado en *Revista de Derecho de Aguas* 8: 299-317.

43. Jaeger, 2000: 175-179. Este trabajo fue presentado a las Segundas Jornadas Chilenas de Derecho de Aguas, en 1999. Alejandro Vergara, en cambio, criticaba fuertemente la decisión del Tribunal Constitucional, que según él fue una interpretación poco razonable del significado del artículo 19, número 23 de la Constitución. La opinión de Vergara era que al permitir que la legislación ordinaria condicionara el otorgamiento de nuevos derechos de agua, la decisión no protegió el derecho constitucional tal como los redactores de la Constitución querían. Véanse Vergara, 2001: 382-387, y nota 41 arriba.

44. Citado en Jaeger, 2000: 179-181.

45. Muñoz, 1997.

46. Bertelsen, 2000: 70-74. Este trabajo fue presentado a las II Jornadas Chilenas de Derecho de Aguas, en 1999.

47. Los comités eran primero el Comité de Obras Públicas, después el Comité sobre Constitución, Legislación, Justicia y Regulación, y finalmente el Comité de Hacienda. Véase el *Informe de la Comisión de Hacienda sobre el Proyecto de Ley que modifica el Código de Aguas,* 15 de septiembre de 2000.

48. Las jornadas fueron establecidas y siempre han sido organizadas por Alejandro Vergara, el experto académico en derecho de aguas más importante de Chile, profesor en la Facultad de Derecho de la Universidad Católica y abogado que ejerce la profesión. Los trabajos de las jornadas se publican después en la *Revista de Derecho Administrativo Económico,* publicada por la Facultad de Derecho y de la cual Vergara es el editor.

49. Véanse, por ejemplo, Domper, 1996, 2003; Figueroa, 1997b; Hoschild, 2000; Peralta, 2000. Para ejemplos de la primera ronda del debate sobre la reforma del Código de Aguas, véanse Confederación de Canalistas de Chile, 1993a; Figueroa, 1993a, 1993b; Instituto Libertad y Desarrollo, 1993b; «Retroceso en Régimen de Aguas», editorial en *El Mercurio,* 19 de febrero de 1993, A3. En cuanto al eco desde finales de los setenta, véase el capítulo II.

50. Figueroa, 1993a, 1993b; Fromin, 1998; Peralta, 2000.

51. Véase el *Informe de la Comisión de Hacienda sobre el Proyecto de Ley que modifica el Código de Aguas,* 15 de septiembre de 2000; comentarios del senador Sergio Romero, Sesión del Senado 15, *Modificación de Código de Aguas,* 5 de diciembre de 2000, 49-64, y de la senadora Evelyn Matthei, ibídem: 65-74; Romero, 1998.

52. Gómez-Lobo y Paredes, 2001: 96, 103.

53. El trabajo de Gómez-Lobo y Paredes presenta varios buenos argumentos que son aportaciones útiles al debate de políticas públicas. Por desgracia, su análisis destaca también por ser mayormente un ejercicio de teoría econó-

mica neoclásica, como los autores mismos reconocen, con poco fundamento en el conocimiento empírico sobre derechos de agua o mercados de aguas, ni en Chile ni en otra parte. Sin embargo, la carencia de conocimiento evidente de los autores sobre los aspectos prácticos o institucionales de los mercados de aguas chilenos no les impide opinar con afirmaciones asertivas, que según la experiencia y los estudios empíricos existentes no tienen base; por ejemplo, que los costes de transacción no son importantes, que las subastas de derechos de agua son factibles, etc.

54. Ni una base de datos tal ni todos los títulos legales existen actualmente, como se discute en el capítulo IV.

55. Véase el *Informe de la Comisión de Hacienda sobre el Proyecto de Ley que modifica el Código de Aguas*, 15 de septiembre de 2000, 9-11; Dirección General de Aguas, 1999; Jaeger, 2001; Landerretche, 2002.

56. Pablo Jaeger, comentario de panelista, IV Jornadas Chilenas de Derecho de Aguas, noviembre de 2001.

IV. Los resultados de los mercados de aguas chilenos: investigaciones empíricas desde 1990

1. La relativa carencia de investigación empírica e imparcial es un aspecto común en la mayor parte del debate sobre políticas públicas en Chile; no se limita a los temas de aguas.

2. Hago hincapié en el período después de 1990 porque no había investigación sobre estos temas antes de que Chile regresara a un gobierno democrático, tal como se explicaba al comienzo del capítulo III.

3. Banco Mundial, 1994: ii-iii. El hecho de que los consultores chilenos incluyeran estas disposiciones sugiere que reconocieron algunos de los problemas del Código de Aguas chileno, a pesar de que no lo dijeron así. El gobierno peruano no aprobó el borrador de la ley, pese a presiones tanto del Banco Mundial como del Banco Interamericano de Desarrollo, debido a la oposición fuerte dentro de Perú. Véase también Trawick, 2003.

4. Rosegrant y Binswanger, 1994: 1618-1619, 1622. Su afirmación de que los mercados han reducido los conflictos no tiene fundamento, como se discute más adelante en este capítulo.

5. Véanse Jarvis, 1985, 1988.

6. Véanse Gazmuri y Rosegrant, 1994; Rosegrant y Gazmuri, 1994a, 1994b. Aunque estos trabajos contienen información útil, también hacen afirmaciones asertivas sin citar evidencia alguna, afirmaciones que más adelante resultaron carecer de fundamento en muchos casos.

7. Véanse Bauer, 1993, 1997, 1998a, 1998b. Bauer, 1998b se publicó después en español como Bauer, 2002, que fue reseñado en Vergara, 2003.

8. Para una discusión más detallada de todos estos factores, véanse Bauer, 1997 y 1998b: 51-78/2002: 81-116.

9. Véanse el capítulo II y las referencias citadas en la nota anterior.

10. Véanse Hearne, 1995; Hearne y Easter, 1995; y los dos capítulos de Hearne sobre Chile en Easter et al., 1998. Hearne identificó los problemas causados por «la ausencia de instituciones para la discusión intersectorial y la resolución de conflictos» y sugirió que hacía falta un papel gubernamental más fuerte en esa área, aunque su propia investigación no examinó el tema con más detalle. Véase Hearne y Easter, 1995: 40-41.

11. Véase Ríos y Quiroz, 1995: 28-29, 15, vii. Como se señalaba en el texto anterior, los problemas que ellos mencionaron habían sido analizados detalladamente en Bauer, 1993.

12. Véanse Dirección General de Aguas, 1999; Peña, 1997a, 1997b. Para una recopilación reciente de datos empíricos por la DGA, véase Alegría et al., 2002.

13. Véanse Solanes, 1996; Solanes y Getches, 1998. Véase Zegarra, 1997 para un relato de un economista peruano sobre el conflicto entre la CEPAL y los Bancos. Otros expertos internacionales en aguas que compartían las preocupaciones de la CEPAL acerca de los elogios exagerados del modelo chileno fueron Luis García, del Banco Interamericano de Desarrollo; Héctor Garduño, de la Comisión Nacional del Agua del gobierno mexicano (después consultor para la Organización de las Naciones Unidas para la Agricultura y la Alimentación y el Banco Mundial); David Getches, profesor de derecho de la Universidad de Colorado; y Albert Utton, profesor de derecho de la Universidad de Nuevo México. Dentro del Banco Mundial, John Briscoe compartía esta preocupación también, porque desde su punto de vista el elogio exagerado era contraproducente y socavaba la disposición de mucha gente a ver que el modelo chileno sí tenía grandes beneficios (véase Briscoe, 1997: 17). Briscoe et al., 1998: 11, se refieren al «debate acalorado [heated debate] dentro del Banco Mundial» sobre los mercados de agua chilenos.

14. Véanse Bauer, 1997, 1998a, 1998b/2002, y los capítulos de Hearne en Easter et al., 1998.

15. Véase el capítulo I, notas 42 y 46.

16. Cf. Bauer, 1993, 1995. Se publicaron versiones actualizadas y más completas de mis investigaciones durante este mismo período en los Estados Unidos, pero estas publicaciones eran en inglés y por lo general no estaban disponibles en Chile. Véanse Bauer, 1997, 1998a, 1998b/2002.

17. El artículo que resumo aquí es Vergara, 1997b; para discusión adicional semejante, véase también Vergara, 1997c. Ambos trabajos fueron republicados en Vergara, 1998, un libro que recopila sus trabajos sobre el derecho de

aguas escritos durante los años noventa. Menciono a Vergara varias veces también en el capítulo III.

18. Vergara, 1997b: 85.

19. Vergara, 1997b: 86; Peralta, 1995.

20. El Código de Aguas contiene procedimientos especiales para «regularizar» los derechos de agua que son anteriores a 1981, aunque estos procedimientos no son obligatorios. Véase Bauer, 1998b/2002: caps. 3 y 4.

21. Cf. Donoso, 1995 con Donoso et al., 2001.

22. Donoso, 1999.

23. Donoso et al., 2001.

24. Dourojeanni y Jouravlev, 1999.

25. Ésta es la única de las cuatro cuencas estudiadas por Hearne que tenía un mercado activo, como se describía anteriormente; es también el ejemplo que Briscoe tiene en la mente cuando dice que «en cuencas bien reguladas en las zonas áridas de Chile, los mercados de agua funcionan como uno quisiera», citado en el capítulo I. La importancia de la cuenca del Limarí fue mencionada también en Bauer, 1997: 645, y 1998b: 59/2002: 92-93, y fue descrita en varios trabajos presentados en la III y la IV Convenciones Nacionales de Regantes de Chile: Confederación de Canalistas de Chile, 1993b, 1997.

26. Hadjigeorgalis, 1999.

27. Ibídem: 28. Estas restricciones institucionales, a su vez, reflejan los procedimientos técnicos específicos que las organizaciones de usuarios locales han utilizado tradicionalmente para calcular y medir las asignaciones anuales de aguas dentro de diferentes sectores del sistema. Si se modificaran esos procedimientos, las restricciones institucionales cambiarían también.

28. Ibídem: 162-166. Tal como se explicaba en el capítulo III, el gobierno insiste en que esta inquietud no tiene base porque la reforma ha sido diseñada para eximir a la mayoría de los agricultores y para ser aplicada sobre todo a las empresas eléctricas y los especuladores de gran escala.

29. Aquí resumo la versión de 1998-1999 de este documento (Dirección General de Aguas, 1999). Mucho de este material también se puede encontrar en trabajos y presentaciones anteriores del director de la DGA, Humberto Peña (Peña, 1997a, 1997b).

30. Como se citó en el capítulo III, esta declaración sigue, «[…] y como tal el sistema jurídico y económico que regula su uso debe animar a que sea utilizado eficientemente por los particulares y la sociedad. De acuerdo con lo anterior, los principios de la economía de mercado son aplicables a los recursos hídricos, con las adaptaciones y correcciones que exigen las particularidades de los procesos hidrológicos». Dirección General de Aguas, 1999: 5.

31. Para más discusión del significado del «Estado subsidiario» en la política chilena y la Constitución chilena, véase Bauer, 1998b: 12-19/2002: 31-44.

32. Los problemas de agua de la gente pobre en las ciudades chilenas —sobre todo el acceso al agua de buena calidad y a un coste asequible para consumo doméstico— no son temas de derechos de agua ni de mercados de agua, y no los analizo aquí.

33. Este resumen se basa en entrevistas y en los pocos documentos y publicaciones disponibles. Para más información y referencias, véase Bauer, 1998b: 67-68/2002: 107-109. De 1992 a 2002, me entrevisté con personas de tres organizaciones no gubernamentales chilenas (Agraria, Grupo de Investigaciones Agrarias y SEPADE), el Instituto para el Desarrollo Agropecuario (que es parte del Ministerio de Agricultura, tanto sus oficinas locales como la oficina central en Santiago) y varias asociaciones de regantes. Contactos especialmente valiosos en Santiago han sido Miguel Bahamondes, del Grupo de Investigaciones Agrarias; Milka Castro, profesora de antropología de la Universidad de Chile; y Carlos Barrientos y Carmen Cancino, del Instituto para el Desarrollo Agropecuario, Ministerio de Agricultura.

34. Véanse Hadjigeorgalis, 1999: 159-160, 165; Hearne y Easter, 1995: 52-53.

35. Véase Donoso, 1999.

36. Rosegrant y Binswanger, 1994; Banco Mundial, 1994; y las referencias citadas en las dos notas siguientes.

37. Véase Ríos y Quiroz, 1995: 27. La investigación previa que citan es la mía, Bauer, 1993.

38. Los partidarios citados por Briscoe son Gazmuri y Rosegrant, 1994, cuya falta de fiabilidad comenté antes en este capítulo. Puede entenderse que haya diferencias de opinión en estos asuntos, desde luego, aunque uno espera que tengan alguna base sólida. En este caso lo lamentable es que Briscoe malinterpreta mi argumento al citarme fuera de contexto y después da una cita incorrecta que impide que el lector pueda confirmar la fuente; véase Briscoe, 1997: 13.

39. Véase la nota 33 arriba.

40. Véase Cancino, 2001.

41. ¿Porque dan por sentado que la equidad ha mejorado? ¿Porque sospechan que no ha sido así? Esta última razón parece más probable, porque si estos partidarios pudieran demostrar mejoras en equidad, hay que presumir que querrían publicitar la evidencia.

42. Éste es uno de los argumentos del neoliberal Instituto Libertad y Desarrollo en contra de las reformas del Código de Aguas propuestas por el gobierno: María de la Luz Domper, comentario de panelista, Jornadas Chilenas de Derecho de Aguas, noviembre de 2001. Véase también Donoso, 1999.

43. Véanse, por ejemplo, Asmal, 1998; Garduño, 1996, 2001.

44. Dirección General de Aguas, 1999.

45. Véanse Briscoe, 1996a: 22; Briscoe et al., 1998: 6-8; Hearne y Easter, 1995: 40-41.

46. Como argumenté en el capítulo III, una parte de ese recibimiento crítico se debía al diseño inadecuado de las propuestas.

47. Véase Peña, 2001.

48. Véanse Bauer, 1998a y 1998b: 79-118/2002: 117-170, para una discusión más detallada. Bauer, 1993 incluyó un análisis anterior de estos temas en español.

49. Como se resumió en el capítulo II, el objetivo de la Constitución de 1980 fue garantizar la permanencia de los radicales cambios políticos, económicos y sociales impuestos en Chile durante los dieciséis años del régimen militar. Es la columna vertebral del legado institucional del régimen militar, y el régimen se negó a dejar el gobierno hasta que sus oponentes políticos —la coalición gubernamental de hoy, la Concertación— se comprometieron a esa misma Constitución. Véase el capítulo II, nota 12.

50. Véase Bauer, 1998b: 79-118/2002: 117-170, para una discusión más detallada y referencias completas sobre estos conflictos.

51. El conflicto del río Laja tuvo otras repercusiones locales que indicaron los obstáculos institucionales a la gestión de las cuencas hidrográficas. El conflicto aumentó la conciencia ciudadana en la región sobre la necesidad de contar con una mejor coordinación entre los usuarios de aguas, y durante 1986-1988 el director regional de la DGA y otros líderes del gobierno, del sector privado y de las universidades intentaron crear nuevas organizaciones de cuencas, siguiendo más o menos el modelo de las juntas de vigilancia. Estos intentos fracasaron por falta de autoridad legal y de voluntad política. Véase Bauer,1998b: 90-91/2002: 135-138.

52. Código de Aguas, artículo 14. Los artículos 15 y 97 también imponen restricciones sobre los derechos no consuntivos en circunstancias determinadas, pero el artículo 14 es el más importante; véase Bauer, 1998b: 84/2002: 126-127.

53. Antes de 1981 no existía la categoría de derechos de agua «consuntivos» porque se daba por sentado que *todos* los derechos de agua eran consuntivos, lo que reflejaba el predominio histórico del riego en Chile. Bajo legislaciones anteriores había otras maneras administrativas de reconocer las necesidades distintas de la generación eléctrica en términos de derechos de agua. Esto plantea otro problema de interpretación para los derechos de agua hidroeléctricos previos a 1981: ¿deberían considerarse consuntivos o no consuntivos?

54. Al parecer, este sesgo en la votación fue un descuido no intencionado por parte de los redactores del código, en vez de una decisión consciente, pero es difícil saberlo con certeza.

55. Véase también la nota 53 arriba.

56. Colbún es en realidad dos presas y embalses adyacentes gestionados conjuntamente; el segundo embalse, Machicura, es más pequeño y sirve para regular los caudales devueltos al cauce del río. Me referiré a las dos presas y embalses de forma conjunta como Colbún, a fin de simplificar.

57. Para una descripción paso por paso, véase Bauer, 1998b: 94-110/2002: 143-170.

58. La obra más importante para regular el caudal del río Bío Bío será la presa Ralco de Endesa, ubicada aguas arriba y con mucha mayor capacidad de almacenamiento. Ralco ha sido tan controvertido como Pangue y estaba todavía en proceso de construcción en el momento en que se redactaba este libro.

59. Barzel, 2001, comunicación personal. Véase Barzel, 1989 para un análisis general de la economía de derechos de propiedad, particularmente 89-91 sobre derechos de agua.

60. Para un análisis de todos los fallos judiciales publicados desde 1981 hasta 1993, aparte de los casos relativos a las cuencas de los ríos Maule y Bío Bío, véase Bauer, 1998b: 80-84/2002: 119-125. Mis investigaciones posteriores sobre todos los fallos publicados hasta 2001 confirman las tendencias generales discutidas aquí, pero no se han publicado todavía.

61. La tendencia de la DGA hacia un legalismo estricto ha sido reforzada por la revisión rigurosa por parte de la Contraloría General, una agencia gubernamental autónoma con la responsabilidad de controlar los actos legales y administrativos de otras agencias y empresas gubernamentales. Con el director Peña, la DGA ha resistido fuertes presiones políticas para otorgar nuevos derechos de agua en ciertas situaciones, específicamente las solicitudes de Endesa para derechos no consuntivos adicionales (véase el capítulo III, nota 31 y texto acompañante), y el aumento explosivo de la demanda de agua subterránea en el norte de Chile (véase el apartado «Temas emergentes en la política hidrológica chilena» al final de este capítulo). El comportamiento de la agencia, sin embargo, ha sido una defensa de una de sus áreas centrales de autoridad —la constitución de nuevos derechos de propiedad— en vez de un intento agresivo de más regulación.

62. Bauer, 1993, 1998a, 1998b/2002, 1998c.

63. Donoso, 1999: 307.

64. La excepción más notable es Alejandro Vergara, quien, pese a ser un abogado chileno y profesor de derecho ortodoxo en muchos sentidos, se ha esforzado en entender el lenguaje de otras disciplinas y ha abordado los temas prácticos de los derechos de agua. Véase, por ejemplo, Vergara, 1997b, 1998.

65. Esta lista refleja mis propias observaciones basadas en tres fuentes de información. Primero, he hecho viajes de investigación a Chile cada año desde

1995 hasta 2004, por períodos cuya duración ha variado desde varias semanas hasta varios meses, durante los cuales he realizado entrevistas con contactos profesionales tanto establecidos como nuevos. Segundo, he sido lector habitual de los diarios chilenos y las revistas semanales de análisis político (tanto impresos como por internet) durante el mismo período. Tercero, he participado en todas las Jornadas Chilenas de Derecho de Aguas hasta la fecha, a partir de 1998. Los trabajos presentados en estas jornadas son una fuente excelente de información y se han publicado en la revista chilena *Revista de Derecho Administrativo Económico*.

V. Conclusiones y lecciones sobre la experiencia chilena

1. Véase el capítulo IV y referencias allí para más detalle.

2. Véase Aguilera, 2002 para una aplicación reciente de este argumento a los mercados de aguas en las islas Canarias en España.

3. Véase el capítulo IV. Humberto Peña, que ha dirigido la DGA desde 1994, hizo una evaluación parecida sobre las fortalezas y debilidades del Código de Aguas en su propia reseña de los primeros veinte años del código. Dijo que el código era más fuerte en su enfoque de los aspectos económicos del agua y más débil en sus aspectos ambientales y sociales, y destacó que la gestión integrada de los recursos hídricos sencillamente no fue considerada en 1981. Véase Peña, 2001.

4. Véase el capítulo III y referencias allí para más detalle.

5. Algunos altos funcionarios de la DGA insisten en que se ha avanzado a pesar de la falta de cambio legislativo. Sostienen que los años de debate han convencido a la mayoría de la gente involucrada de que el diagnóstico del gobierno sobre las deficiencias del Código de Aguas es correcto, aun cuando muchas personas pueden discrepar de la solución que el gobierno propone. Señalan también que las decisiones favorables del Tribunal Constitucional y de la Comisión Antimonopolios en 1997, en casos que muchos observadores pensaban que el gobierno iba a perder, eran victorias importantes para la posición del gobierno (véase el capítulo III). Entrevista con Humberto Peña, director, y Pablo Jaeger, abogado jefe, Dirección General de Aguas, 29 de mayo de 2002.

6. Para un ejemplo de esta tendencia razonable en la oposición, véase la presentación del senador Sergio Romero en un seminario organizado en el Senado para discutir las reformas propuestas del Código de Aguas (Romero, 1998).

7. En su reseña de los primeros veinte años de experiencia del Código de Aguas, el director de la DGA subraya «la necesidad de iniciar una profunda reflexión acerca de las formas de resolución de conflictos consideradas en el Código» (Peña, 2001: 12).

8. Véase el capítulo I, notas 46-50, y texto acompañante. Un ejemplo es una publicación del Banco Mundial que dice que a pesar de los problemas mencionados, el «sistema [chileno] de derechos de agua comerciables y el mercado de aguas asociado es un gran logro y hay un consenso universal que es la roca madre sobre la cual se deben refinar las prácticas de gestión de aguas en Chile» (Briscoe et al., 1998: 9). Otro ejemplo es un trabajo para la Global Water Partnership que describe Chile como «un líder mundial en la gobernanza de las aguas». Los autores dicen que a pesar de que «se cometieron muchos errores relacionados con la apertura, transparencia, participación y preocupaciones ecosistémicas, debido a las prisas por establecer mercados de aguas efectivos [...], el sistema es adaptable y ahora estas preocupaciones se están afrontando veinte años después de promulgarse las leyes iniciales » (Rogers y Hall, 2002: 25-26).

9. Según John Briscoe, del Banco Mundial, primer autor de uno de los trabajos citados en la nota anterior, Chile es un modelo de «buenas prácticas» internacionales en la gestión de la escasez del agua pero no en la gestión de la calidad del agua (Briscoe, 1996a: 20-22). Esa descripción es reveladora de las limitaciones del modelo chileno para la gestión integrada de los recursos hídricos, puesto que un principio básico de la GIRH es que la cantidad del agua y la calidad del agua están íntimamente relacionadas y no deberían ser gestionadas por marcos institucionales diferentes. Sin embargo, Briscoe no señala este punto.

10. Véase el capítulo I, notas 34-39, y texto acompañante.

11. Véase la introducción, nota 1, y texto acompañante.

Bibliografía

AGUILERA, Federico (1998): «Hacia una nueva economía del agua: cuestiones fundamentales», en Pedro ARROJO y Francisco Javier MARTÍNEZ GIL (coords.): *El agua a debate desde la Universidad: Hacia una nueva cultura del agua. I Congreso Ibérico sobre Gestión y Planificación de Aguas*, Zaragoza, Navarro & Navarro, 15-31.

— (2002): *Los mercados de agua en Tenerife*, Bilbao, Bakeaz.

— Eduardo PÉREZ y Juan SÁNCHEZ (2000): «The Social Construction of Scarcity: The Case of Water in Tenerife (Canary Islands)», *Ecological Economics*, 34, 233-245.

ALEGRÍA, María Angélica, Fernando VALDÉS y Adrián LILLO (2002): «El mercado de aguas: análisis teórico y empírico», *Revista de Derecho Administrativo Económico*, IV (1), 169-185.

ANGELL, Alan (1993): *Chile de Alessandri a Pinochet. En busca de la utopía*, Santiago, Andrés Bello.

ANGUITA, Pablo (1995): *Gestión de recursos hídricos: propuesta*, Dirección de Riego, Ministerio de Obras Públicas. Documento inédito, junio.

ARROJO, Pedro (1995): «Del estructuralismo hidráulico a la economía ecológica del agua», *Mientras Tanto*, 62, 77-105.

— y José Manuel NAREDO (1997): *La gestión del agua en España y California*, Bilbao, Bakeaz.

ASENJO, Rafael (1990): «Políticas gubernamentales sobre protección del medio ambiente», en Herman SCHWEMBER (ed.): *Protección del medio ambiente*. Actas del Seminario, Asociación de Ingenieros Consultores de Chile/Tecniberia, Santiago, 22-26.

ASMAL, Kader (1998): «Water, Life and Justice: A Late 20th Century Reflection from the South», en WATER SCIENCE AND TECHNOLOGY BOARD OF THE NATIO-

NAL RESEARCH COUNCIL (ed.): *The 1998 Abel Wolman Distinguished Lecture,* 21 mayo 1998, Washington, DC, National Academy of Sciences.

BANCO INTERAMERICANO DE DESARROLLO (1999): «Second Generation Issues in the Reform of Public Services». Conferencia, 4-5 octubre 1999, Washington, DC.

BANCO MUNDIAL (1993): *Water Resources Management: A World Bank Policy Paper,* Washington, DC, Banco Mundial.

— (1994): *Peru: A User-Based Approach to Water Management and Irrigation Development,* Washington, DC, Banco Mundial (Informe del Banco Mundial, 13642-PE).

BARDHAN, Pranab (1989): «Alternative Approaches to the Theory of Institutions in Economic Development», en Pranab BARDHAN (ed.): *The Economic Theory of Agrarian Institutions,* Oxford, Clarendon Press, 3-17.

BARLOW, Maude (2000): «Commodification of Water—Wrong Prescription». Documento presentado en el X Simposio de Agua de Estocolmo, Estocolmo, 17 agosto 2000, <http://www.canadians.org/blueplanet/pubs-barlow-speech.html> (consultada el 18 de enero de 2001).

BARROS, Robert (2002): *Constitutionalism and Dictatorship: Pinochet, the Junta, and the 1980 Constitution,* Nueva York, Cambridge University Press.

BARZEL, Yoram (1989): *Economic Analysis of Property Rights,* Cambridge, Cambridge University Press.

BATES, Sarah, David GETCHES, Lawrence MACDONNELL y Charles WILKINSON (1993): *Searching Out the Headwaters: Change and Rediscovery in Western Water Policy,* Washington, DC, Island Press.

BAUER, Carl (1993): «Los derechos de agua y el mercado. Efectos e implicancias del Código de Aguas chileno de 1981», *Revista de Derecho de Aguas,* 4, 17-63.

— (1995): *Against the Current? Privatization, Market and the State in Water Rights: Chile 1979-1993.* Tesis doctoral, Jurisprudence and Social Policy Program, Universidad de California-Berkeley.

— (1996): «El mercado de aguas en California», en Antonio EMBID (ed.): *Precios y mercados del agua,* Madrid, Civitas, 179-205.

— (1997): «Bringing Water Markets Down to Earth: The Political Economy of Water Rights in Chile, 1976-1995», *World Development,* 25 (5), 639-656.

— (1998a): «Slippery Property Rights: Multiple Water Uses and the Neoliberal Model in Chile, 1981-1995», *Natural Resources Journal,* 38 (1), 109-155.

— (1998b): *Against the Current: Privatization, Water Markets, and the State in Chile,* Boston, Kluwer Academic Publishers.

— (1998c): «Derecho y economía en la Constitución de 1980», *Perspectivas en Política, Economía y Gestión,* 2 (1), 23-47.

— (2002): *Contra la corriente. Privatización, mercados de agua y el Estado en Chile,* Santiago, LOM Ediciones.

BENDA-BECKMANN, F. von, K. von BENDA-BECKMANN y H.L. JOEP SPIERTZ (1997): «Local Law and Customary Practices in the Study of Water Rights», en Rajendra PRADHAN et al. (eds.): *Water Rights, Conflict and Policy.* Actas del taller celebrado en Katmandú (Nepal), enero 1996, Colombo (Sri Lanka), Instituto Internacional de Gestión del Riego, 221-242.

BERTELSEN, Raúl (2000): «Análisis constitucional de la reforma del Código de Aguas», *Revista de Derecho Administrativo Económico,* II (1), 63-74.

BIRDSALL, Nancy, Carol GRAHAM y Richard SABOT (1998): «Virtuous Circles in Latin America's Second Stage of Reforms», en Nancy BIRDSALL, Carol GRAHAM y Richard SABOT (eds.): *Beyond Tradeoffs: Market Reforms and Equitable Growth in Latin America,* Washington, DC, Banco Interamericano de Desarrollo y Brookings Institution Press, 1-27.

BRISCOE, John (1996a): «Water as an Economic Good: The Idea and What It Means in Practice». Documento presentado en el Congreso Mundial de la Comisión Internacional de Riego y Saneamiento, septiembre, El Cairo.

— (1996b): *Water Resources Management in Chile: Lessons from a World Bank Study Tour,* Washington, DC, Banco Mundial.

— (1997): «Managing Water as an Economic Good: Rules for Reformers», *Water Supply,* 15 (4), 153-172.

— Pablo ANGUITA y Humberto PEÑA (1998): *Managing Water as an Economic Resource: Reflections on the Chilean Experience,* Washington, DC, Banco Mundial (Informe del Departamento de Medio Ambiente, 62).

BROMLEY, Daniel (1982): «Land and Water Problems: An Institutional Perspective», *American Journal Agricultural Economics,* diciembre, 834-844.

— (1989): *Economic Interests and Institutions: The Conceptual Foundations of Public Policy,* Nueva York, Basil Blackwell.

— (1991): *Environment and Economy: Property Rights and Public Policy,* Cambridge (Massachusetts), Basil Blackwell.

BROWN, F. Lee (1997): «Water Markets and Traditional Water Values: Merging Commodity and Community Perspectives», *Water International,* 22 (1), 2-5.

— et al. (1982): «Water Reallocation, Market Proficiency, and Conflicting Social Values», en Gary WEATHERFORD (ed.): *Water and Agriculture in the Western U.S.: Conservation, Reallocation, and Markets,* Boulder (Colorado), Westview Press, 191-256.

— y Helen INGRAM (1987): *Water and Poverty in the Southwest,* Tucson (Arizona), University of Arizona Press.

BRUNS, Bryan, y Ruth MEINZEN-DICK (eds.) (2000): *Negotiating Water Rights,* Nueva Delhi, Vistaar Publications/Instituto Internacional de Investigación sobre Política Alimentaria.

CANCINO, Carmen (2001): «Proyecto piloto: conflicto de aguas de regadío en el sector Las Pataguas-Valdivia de Paine». Documento presentado en el tercer Encuentro de las Aguas, Instituto Interamericano de Cooperación para la Agricultura, octubre, Santiago.

CAVALLO, Ascanio, Manuel SALAZAR y ÓSCAR SEPÚLVEDA (1989): *La historia oculta del régimen militar,* Santiago, Antártica.

CEA, José Luis (1988): *Tratado de la Constitución de 1980: Características generales, garantías constitucionales,* Santiago, Editorial Jurídica de Chile.

CHALLEN, Roy (2001): «Economic Analysis of Alternative Institutional Structures for Governance of Water Use». Documento presentado en la 45 Conferencia Anual de la Australian Agricultural and Resource Economics Society, 23-25 enero 2001, Adelaida (Australia).

CIRIACY-WANTRUP, S.V. (1967): «Water Economics: Relations to Law and Policy», en Robert E. CLARK (ed.): *Waters and Water Rights,* Indianápolis, Allen Smith, 397-430.

CLARK, Sandford (1999): «Reforming South African Water Legislation: Tradable Water Entitlements in Australia», en Stefano BURCHI (ed.): *Issues in Water Law Reform,* Roma, Organización de las Naciones Unidas para la Agricultura y la Alimentación, 23-51.

COASE, Ronald (1988): *The Firm, the Market, and the Law,* Chicago, University of Chicago Press.

COLE, Daniel, y Peter GROSSMAN (2002): «The Meaning of Property Rights: Law versus Economics?», *Land Economics,* 78 (3), 317-330.

COMMONS, John (1924): *The Legal Foundations of Capitalism,* Nueva York, Macmillan.

— (1934): *Institutional Economics,* Nueva York, Macmillan.

CONFEDERACIÓN DE CANALISTAS DE CHILE (1993a): *Comentario a las modificaciones del Código de Aguas.* Documento inédito.

— (1993b): Tercera Convención Nacional de Regantes de Chile, Los Ángeles (Chile), noviembre.

— (1997): Cuarta Convención Nacional de Usuarios del Agua, Arica (Chile), octubre.

CONFERENCIA INTERNACIONAL SOBRE EL AGUA Y EL MEDIO AMBIENTE (1992): «The Dublin Statement and Report of the Conference», *International Conference on Water and the Environment: Development Issues for the 21st Century,* 26-31 enero 1992, Dublín.

CONSTABLE, Pamela, y Arturo VALENZUELA (1991): *A Nation of Enemies: Chile under Pinochet,* Nueva York, W.W. Norton.

COSGROVE, William, y Frank RIJSBERMAN (2000): *World Water Vision: Making Water Everybody's Business,* Londres, World Water Council.

COSTANZA, Robert, Olman SEGURA y Juan MARTÍNEZ-ALIER (eds.) (1996): *Getting Down to Earth: Practical Applications of Ecological Economics*, Washington, DC, Island Press.

DAKOLIAS, Maria (1996): *The Judicial Sector in Latin America and the Caribbean: Elements of Reform*, Washington, DC, Banco Mundial (Informe técnico, 319).

DALY, Herman, y Kenneth TOWNSEND (1993): *Valuing the Earth: Economics, Ecology, Ethics*, Cambridge (Massachusetts), MIT Press.

DIRECCIÓN GENERAL DE AGUAS (1991a): «Bases para la formulación de la política nacional de aguas». Documento presentado en el Seminario sobre Política Nacional de Aguas, Comisión Económica para América Latina y el Caribe (CEPAL), agosto, Santiago. Publicado en *Revista de Derecho de Minas y Aguas*, 2, 259-265.

— (1991b): «Minuta de modificaciones al Código de Aguas: conceptos básicos a desarrollar», *Revista de Derecho de Minas y Aguas*, 2, 267-269.

— (1999): *Política Nacional de Recursos Hídricos*, Santiago, Ministerio de Obras Públicas.

DOMPER, María de la Luz (1996): «Propiedad sobre el agua», *El Mercurio*, 01/12/96, A2.

— (2003): *La eficiencia en el mercado de derechos de agua: ¿patente por no uso o por tenencia?*, Santiago, Instituto Libertad y Desarrollo (Serie Informe Económico, 141).

DONOSO, Guillermo (1994): «Proyecto de reforma al Código de Aguas: ¿mejora la asignación del recurso?», *Panorama Económico de la Agricultura*, 16 (92), 4-11.

— (1995): «El mercado de derechos de aprovechamiento como mecanismo asignador del recurso hídrico», *Revista de Derecho de Aguas*, 6, 9-18.

— (1999): «Análisis del funcionamiento del mercado de los derechos de aprovechamiento de agua e identificación de sus problemas», *Revista de Derecho Administrativo Económico*, I (2), 295-314.

— (2000): «Tarificación: ¿es una reforma aplicable para mejorar la eficiencia de la asignación?», *Revista de Derecho Administrativo Económico*, II (1), 113-120.

— Juan Pablo MONTERO y Sebastián VICUÑA (2001): «Análisis de los mercados de derechos de aprovechamiento de agua en las cuencas del Maipo y el Sistema Paloma en Chile. Efectos de la variabilidad de la oferta hídrica y de los costos de transacción», *Revista de Derecho Administrativo Económico de Recursos Naturales*, III (2), 367-387.

DOUROJEANNI, Axel (1994): «Water Management and River Basins in Latin America», *CEPAL Review*, 53, 111-128.

— y Andrei JOURAVLEV (1999): *El Código de Aguas de Chile: entre la ideología y la realidad*, Santiago, Naciones Unidas (Serie Recursos Naturales e Infraestructura, 3; División de Recursos Naturales e Infraestructura, Comisión Económica para América Latina).

DRAKE, Paul, e Ivan JAKSIC (eds.) (1991): *The Struggle for Democracy in Chile, 1982-90*, Lincoln (Nebraska), University of Nebraska Press.

DUBASH, Navroz (2002): *Tubewell Capitalism: Groundwater Development and Agrarian Change in Gujarat*, Oxford, Oxford University Press.

EASTER, K. William, Mark ROSEGRANT y Ariel DINAR (eds.) (1998): *Markets for Water: Potential and Performance*, Boston, Kluwer Academic Publishers.

ECHEVERRÍA, Germán (1999): «La pelea que viene por el agua», *El Mercurio*, 16/12/99, A1, A11.

ELLENBERG, Jorge (1980): *Antecedentes respecto del nuevo régimen legal de aguas*. Tesis, Facultad de Derecho, Universidad de Chile.

EMBID, Antonio (ed.) (1996): *Precios y mercados del agua*, Madrid, Civitas.

ENDESA (1993): *El derecho de aprovechamiento de agua en Chile: visión de ENDESA*. Documento inédito.

FAO (ORGANIZACIÓN DE LAS NACIONES UNIDAS PARA LA AGRICULTURA Y LA ALIMENTACIÓN) (1999): *Issues in Water Law Reform*, Roma (FAO Legislative Study, 67).

— PNUD (PROGRAMA DE LAS NACIONES UNIDAS PARA EL DESARROLLO) y BANCO MUNDIAL (1995): *Water Sector Policy Review and Strategy Formulation: A General Framework*, Roma (FAO Land and Water Bulletin, 3).

FIELD, Alexander (1981): «The Problem with Neoclassical Institutional Economics: A Critique with Special Reference to the North/Thomas Model of pre-1500 Europe», *Explorations in Economic History*, 18, 174-198.

FIGUEROA, Luis Simón (1989): «La asignación de los derechos de aprovechamiento de aguas, un debate pendiente». Documento presentado en la segunda Convención Nacional de Regantes de Chile, septiembre, La Serena (Chile).

— (1993a): «Estatuto jurídico de las aguas: evolución histórica y cultural», *Derecho en la Región*, 1, 25-36.

— (1993b): «Cambios a la legislación de aguas», *El Mercurio*, 27/01/93, A2.

— (1997a): «La planificación al ataque», *El Mercurio*, 05/06/97, A2.

— (1997b): «Consecuencias prácticas de las modificaciones al Código de Aguas». Documento presentado en la cuarta Convención Nacional de Usuarios del Agua, octubre, Arica (Chile), Santiago, Confederación de Canalistas de Chile, 101-117.

FONTAINE, Arturo (1988): *Los economistas y el presidente Pinochet*, Santiago, Zig Zag, 2ª ed.

FORT, Denise (1999): «The Western Water Commission: Watershed Management Receives the Attention of a New Generation», *Journal of the American Water Resources Association,* 35 (2), 223-232.

FREDERICK, Kenneth (ed.) (1986): *Scarce Water and Institutional Change,* Washington, DC, Resources for the Future.

FROMÍN, Luis (1998): «Se agita la *liquidez»*, *El Mercurio,* 13/09/98, B6-B7.

GARCÍA, Luis (1998): *Integrated Water Resources Management in Latin America and the Caribbean,* Washington, DC, Banco Interamericano de Desarrollo.

GARCÍA, Sergio (1999): «Un análisis crítico de la política ambiental de la concertación», *Perspectivas en Política, Economía y Gestión,* 3 (1), 163-189.

GARDUÑO, Héctor (1996): *Water Use Management in Mexico: Strategy for the 1995-2000 Period,* Texas Natural Resource Conservation Commission y Mexican National Water Commission.

— (2001): *Water Rights Administration: Experience, Issues and Guidelines,* Roma (FAO Legislative Study, 70).

GARRIDO, José, Cristián GUERRERO y María Soledad VALDÉS (1990): *Historia de la reforma agraria en Chile,* Santiago, Editorial Universitaria, 2ª ed.

GAZMURI, Renato, y Mark ROSEGRANT (1994): «Chilean Water Policy: The Role of Water Rights, Institutions, and Markets», en Mark ROSEGRANT y Renato GAZMURI: *Tradable Water Rights: Experiences in Reforming Water Allocation Policy.* Documento preparado para la U.S. Agency for International Development, Irrigation Support Project for Asia and the Near East.

GETCHES, David (1996): «Changing the River's Course: Western Water Policy Reform», *Environmental Law,* 26, 157.

GLEICK, Peter (ed.) (1997): *Water in Crisis: A Guide to the World's Freshwater Resources,* Oxford, Oxford University Press.

— (1998): *The World's Water 1998-1999: The Biennial Report on Freshwater Resources,* Washington, DC, Island Press.

— et al. (2002): *The New Economy of Water: The Risks and Benefits of Globalization and Privatization of Fresh Water,* Oakland (California), Pacific Institute.

GLOBAL WATER PARTNERSHIP (1998): *A Strategic Plan: Global Water Partnership 1999,* Estocolmo, Global Water Partnership.

— (2000a): *Towards Water Security: A Framework for Action,* Estocolmo, Global Water Partnership.

— (2000b): *Integrated Water Resources Management,* Estocolmo, Global Water Partnership (Technical Advisory Committee Background Paper, 4).

GÓMEZ-LOBO, Andrés, y Ricardo PAREDES (2001): «Mercado de derechos de aguas: reflexiones sobre el proyecto de modificación del Código de Aguas», *Revista de Estudios Públicos,* 82 (otoño), 83-104.

GRAHAM, Carol, y Moisés NAÍM (1998): «The Political Economy of Institutional Reform in Latin America», en Nancy BIRDSALL, Carol GRAHAM y Richard SABOT (eds.): *Beyond Tradeoffs: Market Reforms and Equitable Growth in Latin America,* Washington, DC, Banco Interamericano de Desarrollo y Brookings Institution Press, 321-361.

HADJIGEORGALIS, Ereney (1999): *Private Water Markets in Agriculture and the Effects of Risk, Uncertainty and Institutional Constraints.* Tesis doctoral, Departamento de Economía Agrícola, University of California-Davis.

HEARNE, Robert (1995): *The Market Allocation of Natural Resources: Transactions of Water Use Rights in Chile.* Tesis doctoral, Departamento de Economía Agrícola, University of Minnesota.

— y K. William EASTER (1995): *Water Allocation and Water Markets: An Analysis of Gains-from-Trade in Chile,* Washington, DC, Banco Mundial (Informe técnico, 315).

HILDRETH, Richard G. (1999): «Water Law at the Crossroads», *Journal of Environmental Law and Litigation,* 14 (1), 1.

HODGSON, Geoffrey (1988): *Economics and Institutions: A Manifesto for a Modern Institutional Economics,* Filadelfia, University of Pennsylvania Press.

HOSCHILD, Hernan (2000): «Posición del empresario minero frente a la reforma del Código de Aguas», *Revista de Derecho Administrativo Económico,* II (1), 169-174.

HOWE, Charles (2000): «Protecting Public Values in a Water Market Setting: Improving Water Markets to Increase Economic Efficiency and Equity», *University of Denver Water Law Review,* 3 (2).

INSTITUTO DE INGENIEROS (1993): *Proyecto de Ley que modifica el Código de Aguas.* Documento inédito.

INSTITUTO LIBERTAD Y DESARROLLO (1993a): *Análisis y comentario de la propuesta de reforma del Código de Aguas.* Boletín 876-09. Documento inédito.

— (1993b): «Peligrosa vuelta atrás en la legislación de aguas», *El País,* 28/10/93, 7.

— (2003): «Reforma al Código de Aguas: otro paso atrás», *Temas Públicos,* 624.

JAEGER, Pablo (2000): «Aspectos relevantes de la tramitación parlamentaria de la modificación al Código de Aguas», *Revista de Derecho Administrativo Económico,* II (1), 175-188.

— (2001): «El proyecto de modificación del Código de Aguas: avances recientes y perspectivas». Documento presentado en las cuartas Jornadas de Derecho de Aguas, Facultad de Derecho, Pontificia Universidad Católica de Chile, 19-20 noviembre 2001, Santiago.

JARVIS, Lovell (1985): *Chilean Agriculture under Military Rule: From Reform to Reaction, 1973-80,* Berkeley (California), University of California-Berkeley Institute for International Studies.

— (1988): «The Unraveling of Chile's Agrarian Reform, 1973-86», en W. THIESENHAUSEN (ed.): *Searching for Agrarian Reform in Latin America,* Winchester (Massachusetts), Unwin Hyman, 240-275.

KAPUR, Devesh, John LEWIS y Richard WEBB (eds.) (1997): *The World Bank: Its First Half Century,* Washington, DC, Brookings Institution Press.

LAGOS, Ricardo (1994): «Discurso en el aniversario de la Dirección General de Aguas», *Revista de Derecho de Aguas,* 5, 123-128.

LANDERRETCHE, Oscar (2002): «Consideraciones económicas sobre la reforma del Código de Aguas», *Revista de Derecho Administrativo Económico,* IV (1), 303-315.

LIBECAP, Gary (1989): *Contracting for Property Rights,* Cambridge (Reino Unido), Cambridge University Press.

LIVINGSTON, Marie (1993a): «Normative and Positive Aspects of Institutional Economics: The Implications for Water Policy», *Water Resources Research,* 29 (4), 815-821.

— (1993b): *Designing Water Institutions: Market Failures and Institutional Response,* Washington, DC, Banco Mundial.

LORD, William, y Morris ISRAEL (1996): *A Proposed Strategy to Encourage and Facilitate Improved Water Resources Management in Latin America and the Caribbean,* Washington, DC, División de Medio Ambiente, Departamento de Programas Sociales y Desarrollo Sostenible, Banco Interamericano de Desarrollo, marzo.

LOVEMAN, Brian (1988): *Chile: The Legacy of Hispanic Capitalism,* Nueva York, Oxford University Press.

MANRÍQUEZ, Gustavo (1993): «Política nacional de aguas: formulación, objetivos, instrumentos, opciones, alternativas, y proposiciones», *Derecho en la Región,* 1, 65-80.

MCNEILL, Desmond (1998): «Water as an Economic Good», *Natural Resources Forum,* 22 (4), 253-261.

MEINZEN-DICK, Ruth (1996): *Groundwater Markets in Pakistan: Participation and Productivity,* Washington, DC, Instituto Internacional de Gestión del Riego (International Food Policy Research Institute Research Report, 105).

MERCURO, Nicholas, y Steven MEDEMA (1997): *Economics and the Law: From Posner to Post-Modernism,* Princeton (Nueva Jersey), Princeton University Press.

MILLER, Kathleen, Steven RHODES y Lawrence MACDONNELL (1996): «Global Change in Microcosm: The Case of U.S. Water Institutions», *Policy Sciences,* 29, 271-290.

— Steven Rhodes y Lawrence MacDonnell (1997): «Water Allocation in a Changing Climate: Institutions and Adaptation», *Climatic Change,* 35, 157-177.

Miranda, Soledad (1995): «¿Quién es el dueño de las aguas?», *El Mercurio,* 23/04/95, D9-D10.

Moral, Leandro del, y David Saurí (1999): «Changing Course: Water Policy in Spain», *Environment,* julio-agosto, 12-36.

Muñoz, Gonzalo (1997): «Informe del proyecto de Ley de modificación del Código de Aguas, sobre patentes a los derechos de aprovechamiento de aguas y otras materias», *Revista de Derecho de Aguas,* 8, 93-107.

Muñoz, Jaime (1991): «Política Nacional de Aguas». Documento presentado en las Jornadas sobre Uso y Conservación de Recursos Hídricos, Comité Chileno para el Programa Hidrológico Internacional, 21-24 agosto 1991, La Serena (Chile).

North, Douglass (1981): *Structure and Change in Economic History,* Nueva York, Norton.

Peña, Humberto (1997a): *Modificaciones al Código de Aguas y su aporte a la gestión del agua,* Santiago de Chile, Dirección General de Aguas, Ministerio de Obras Públicas.

— (1997b): «Exposición del Director General de Aguas». Documento presentado en la cuarta Convención Nacional de Usuarios del Agua, 17-18 octubre 1997, Arica (Chile), Santiago, Confederación de Canalistas de Chile, 119-138.

— (2001): «20 años del Código de Aguas: visión desde la Administración». Documento presentado en las cuartas Jornadas de Derecho de Aguas, Facultad de Derecho, Pontificia Universidad Católica de Chile, 19-20 noviembre 2001, Santiago.

Peralta, Fernando (1995): «El mercado de aguas en Chile». Documento presentado en el Workshop on Issues in Privatization of Water Utilities in the Americas, American Society of Civil Engineers y Comisión Económica para América Latina y el Caribe, 4-6 octubre 1995, Santiago.

— (2000): «Hacia una política de recursos hídricos en Chile», *Revista de Derecho Administrativo Económico,* II (1), 253-259.

Perry, C.J., David Seckler y Michael Rock (1997): *«Water as an Economic Good»: A Solution, or a Problem?,* Colombo (Sri Lanka), Instituto Internacional de Gestión del Riego, Instituto Internacional Winrock para el Desarrollo Agrícola (Research Report, 14).

Prugh, Thomas, et al. (1999): *Natural Capital and Human Economic Survival,* Boca Raton (Florida), Lewis Publishers.

Public Services International (2000): «Controlling the Vision and Fixing the Forum: The Politburo of Privatization». Briefing paper, Public Services International Research Unit, University of Greenwich, Londres.

Ríos, Mónica, y Jorge Quiroz (1995): *The Market of Water Rights in Chile: Major Issues,* Washington, DC, Banco Mundial (Informe técnico, 285).

Rogers, Peter (2002): «Water Governance». Borrador presentado en el encuentro anual del Banco Interamericano de Desarrollo, marzo, Fortaleza (Brasil).

— Ramesh Bhatia y Annette Huber (1998): *Water as Social and Economic Good: How to Put the Principle into Practice,* Estocolmo, Global Water Partnership Technical Advisory Committee.

— y Alan Hall (2002): *Effective Water Governance,* Estocolmo, Global Water Partnership.

Romero, Sergio (1996): «Dejar abierta la llave del agua?», *El Mercurio,* 22/10/96, A2.

— (1998): «Panorama general del mercado de aguas y equidad y eficiencia en la asignación originaria de derechos de aguas», *Revista de Derecho de Aguas,* IX, 321-328.

Rosegrant, Mark, y Hans Binswanger (1994): «Markets in Tradable Water Rights: Potential for Efficiency Gains in Developing Country Water Resource Allocation», *World Development,* 22, 1613-1625.

— y Renato Gazmuri (1994a): *Tradable Water Rights: Experiences in Reforming Water Allocation Policy,* U.S. Agency for International Development, Irrigation Support Project for Asia and the Near East.

— y Renato Gazmuri (1994b): *Reforming Water Allocation Policy through Markets in Tradable Water Rights: Lessons from Chile, Mexico, and California,* Washington, DC, Instituto Internacional de Investigación sobre Política Alimentaria (Environment and Production Technology Division Discussion Paper, 6).

Rowat, Malcolm, et al. (1995): *Judicial Reform in Latin America and the Caribbean: Proceedings of a World Bank Conference,* Washington, DC, Banco Mundial (Informe técnico, 280).

Ruthenberg, Ina-Marlene, et al. (2001): *A Decade of Environmental Management in Chile,* Washington, DC, Banco Mundial (Informe del Departamento de Medio Ambiente, 82).

Rutherford, Malcolm (2001): «Institutional Economics: Then and Now», *Journal of Economic Perspectives,* 15 (3), 173-194.

Saliba, Bonnie Colby, y David Bush (1987): *Water Markets in Theory and Practice: Market Transfers, Water Values, and Public Policy,* Boulder (Colorado), Westview Press (Studies in Water Policy and Management, 12).

Sax, Joseph, Robert Abrams y Barton Thompson, Jr. (1991): *Legal Control of Water Resources: Cases and Materials,* St. Paul, West Publishing, 2ª ed.

SHAH, Tushar (1993): *Groundwater Markets and Irrigation Development: Political Economy and Practical Policy*, Bombay, Oxford University Press.

SHUPE, Steven, Gary WEATHERFORD y Elizabeth CHECCHIO (1989): «Western Water Rights: The Era of Reallocation», *Natural Resources Journal*, 29, 413-434.

SILVA, Eduardo (1994): «Contemporary Environmental Politics in Chile: The Struggle over the Comprehensive Law», *Industrial and Environmental Crisis Quarterly*, 8 (4), 323-343.

— (1997): «Chile», en Martin JANICKE y Helmut WEIDNER (eds.): *National Environmental Policies: A Comparative Study of Capacity-Building*, Berlín, Springer, 213-233.

SIMPSON, Larry, y Klas RINGSKOG (1997): *Water Markets in the Americas*, Washington, DC, Banco Mundial.

SOCIEDAD NACIONAL DE AGRICULTURA (1993): «Código de Aguas: observaciones de la SNA al proyecto que modifica la Ley», *El Campesino*, junio, 8-14.

SOLANES, Miguel (1996): «Mercados de derechos de agua: componentes institucionales», *Revista de la CEPAL*, 59, 83-96.

— (1998): «Manejo integrado del recurso del agua, con la perspectiva de los Principios de Dublín», *Revista de la CEPAL*, 64, 165-185.

— y David GETCHES (1998): «Prácticas recomendables para la elaboración de leyes y regulaciones relacionadas con el recurso hídrico», *Informe de Buenas Prácticas*, ENV-127, Washington, DC, Banco Interamericano de Desarrollo.

— y Fernando GONZÁLEZ (1999): *The Dublin Principles for Water as Reflected in a Comparative Assessment of Institutional and Legal Arrangements for Integrated Water Resources Management*, Estocolmo, Global Water Partnership Technical Advisory Committee.

TARLOCK, A. Dan (1991): «New Water Transfer Restrictions: The West Returns to Riparianism», *Water Resources Research*, 27 (6), 987-994.

TRAWICK, Paul (2003): «Against the Privatization of Water: An Indigenous Model for Improving Existing Laws and Successfully Governing the Commons», *World Development*, 31 (6), 977-996.

URQUIDI, Juan Carlos (1994): «Análisis crítico de la institucionalidad y del marco regulatorio del recurso hídrico continental», *Revista de Derecho de Aguas*, 5, 61-79.

VALENZUELA, Arturo (1989): «Chile: Origins, Consolidation, and Breakdown of a Democratic Regime», en L. DIAMOND et al. (eds.): *Democracy in Developing Countries, Vol. 4: Latin America*, Boulder (Colorado), Lynne Rienner Publishers, 159-206.

— (1991): «The Military in Power: The Consolidation of One-Man Rule», en Paul DRAKE e Ivan JAKSIC (eds.): *The Struggle for Democracy in Chile, 1982-90,* Lincoln (Nebraska), University of Nebraska Press, 21-72.

VERGARA, Alejandro (1992): *Principios y sistema del derecho minero: estudio histórico-dogmático,* Santiago, Editorial Jurídica de Chile.

— (1997a): «El catastro público de aguas. Consagración legal, contenido y posibilidades de regulación reglamentaria», *Revista de Derecho de Aguas,* 8, 71-91.

— (1997b): «Perfeccionamiento legal del mercado de derecho de aprovechamiento de aguas». Documento presentado en la cuarta Convención Nacional de Usuarios del Agua, 17-18 octubre 1997, Arica (Chile), Santiago, Confederación de Canalistas de Chile, 83-96.

— (1997c): «La libre transferibilidad de los derechos de agua. El caso chileno», *Revista Chilena de Derecho,* 24 (2), 369-395.

— (1998): *Derecho de aguas,* Santiago, Editorial Jurídica de Chile.

— (2001): «La *summa divisio* de bienes y recursos naturales en la Constitución de 1980», en *Veinte años de la Constitución chilena: 1981-2001,* Santiago, Ediar Conosur, 369-389.

— (2002): «Las aguas como bien público (no estatal) y lo privado en el derecho chileno. Evolución legislativa y su proyecto de reforma», *Revista de Derecho Administrativo Económico,* IV (1), 63-79.

— (2003): «Carl Bauer, *Contra la corriente. Privatización, mercados de agua y el Estado en Chile.* Book review», *Revista Chilena de Derecho,* 30 (1), 409-419.

WANDSCHNEIDER, Philip (1986): «Neoclassical and Institutionalist Explanations of Changes in Northwest Water Institutions», *Journal of Economic Issues,* 20 (1), 87-107.

WESCOAT, James (2002): «Water Policy and Cultural Exchange: Transferring Lessons from Around the World to the Western United States». Documento presentado en la conferencia «Allocating and Managing Water for a Sustainable Future: Lessons from Around the World», Natural Resources Law Center, University of Colorado School of Law, 11-14 junio 2002.

WILLEY, Zach (1992): «Behind Schedule and Over Budget: The Case of Markets, Water, and the Environment», *Harvard Journal of Law and Public Policy,* 15, 391-425.

WILLIAMSON, Oliver (1985): *The Economic Institutions of Capitalism: Firms, Markets, Relational Contracting,* Nueva York, Free Press.

WORLD COMMISSION ON WATER FOR THE 21ST CENTURY (2000): *From Vision to Action.* Informe final, Second World Water Forum and Ministerial Conference, 17-22 marzo 2000, La Haya.

YOUNG, Mike (1997): *Water Rights: An Ecological Economics Perspective,* Camberra, Australian National University, Center for Resource and Environmental Studies (Working Paper in Ecological Economics, 9701).

ZEGARRA, Eduardo (1997): *Límites y posibilidades de la apertura del mercado de aguas. Reflexiones sobre la discusión de una nueva Ley de Aguas en el Perú 1992-1997,* diciembre. Documento inédito.

Agradecemos a la **Fundación Ecología y Desarrollo** la colaboración en la edición de este libro.

La Fundación Ecología y Desarrollo trabaja en el impulso del uso y gestión eficiente del agua en la ciudad desde 1997. El objetivo es demostrar que es posible resolver los problemas de la escasez de agua con un enfoque más barato, más ecológico, más rápido y sin enfrentamientos sociales: aumentando la eficiencia en su uso. Para ello la Fundación realiza campañas de sensibilización, elabora materiales y publicaciones, realiza auditorías en instalaciones de elevado consumo de agua, promueve la participación pública en la gestión del agua, impulsa planes integrales de ahorro de agua y participa en el diseño de políticas de agua. Una descripción del trabajo realizado por la Fundación Ecología y Desarrollo en materia de eficiencia en el uso y gestión del agua en la ciudad se puede encontrar en las siguientes páginas web:

http://www.agua-dulce.org
http://www.ecodes.org

PAPEL RECICLADO 100%